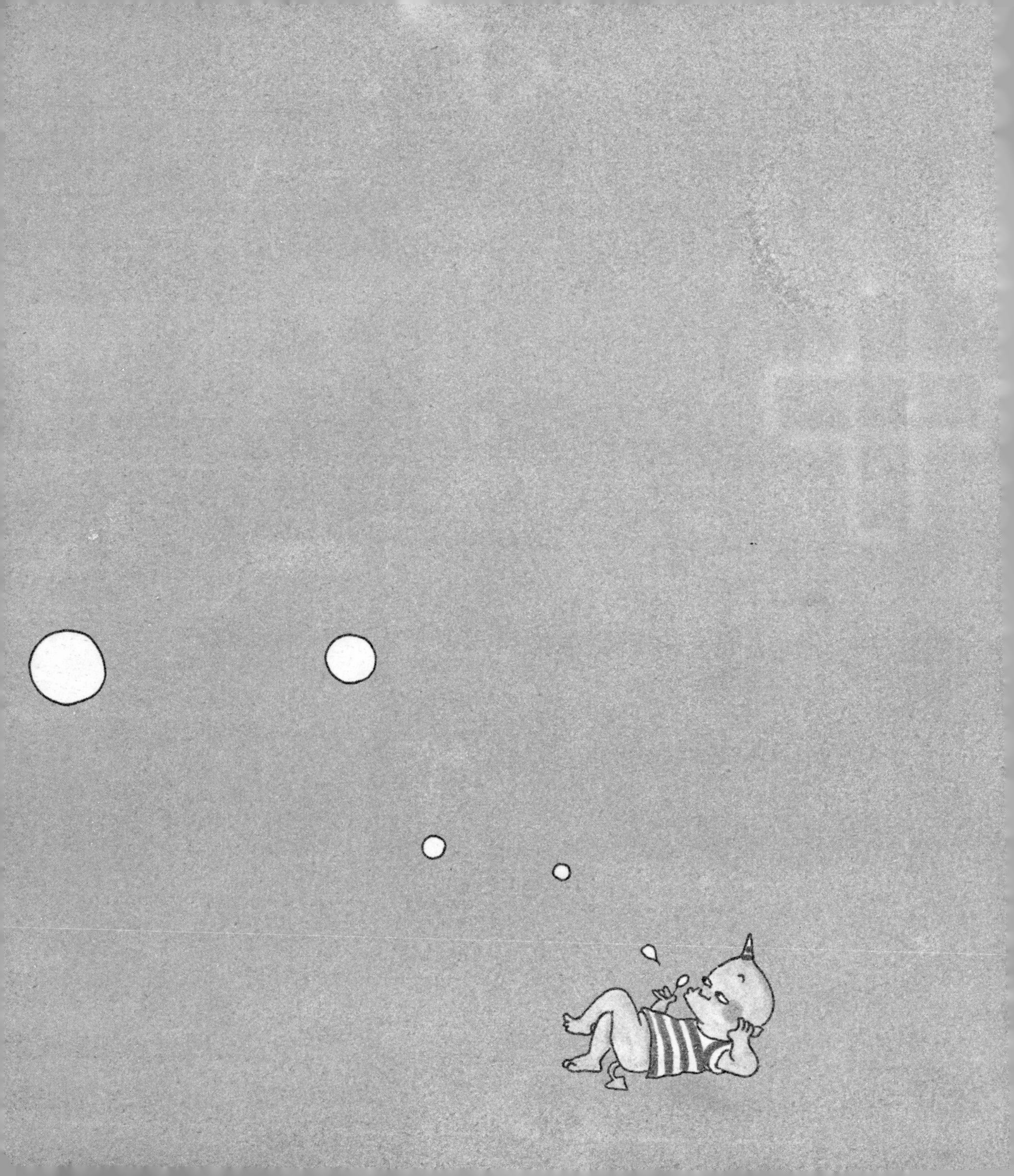

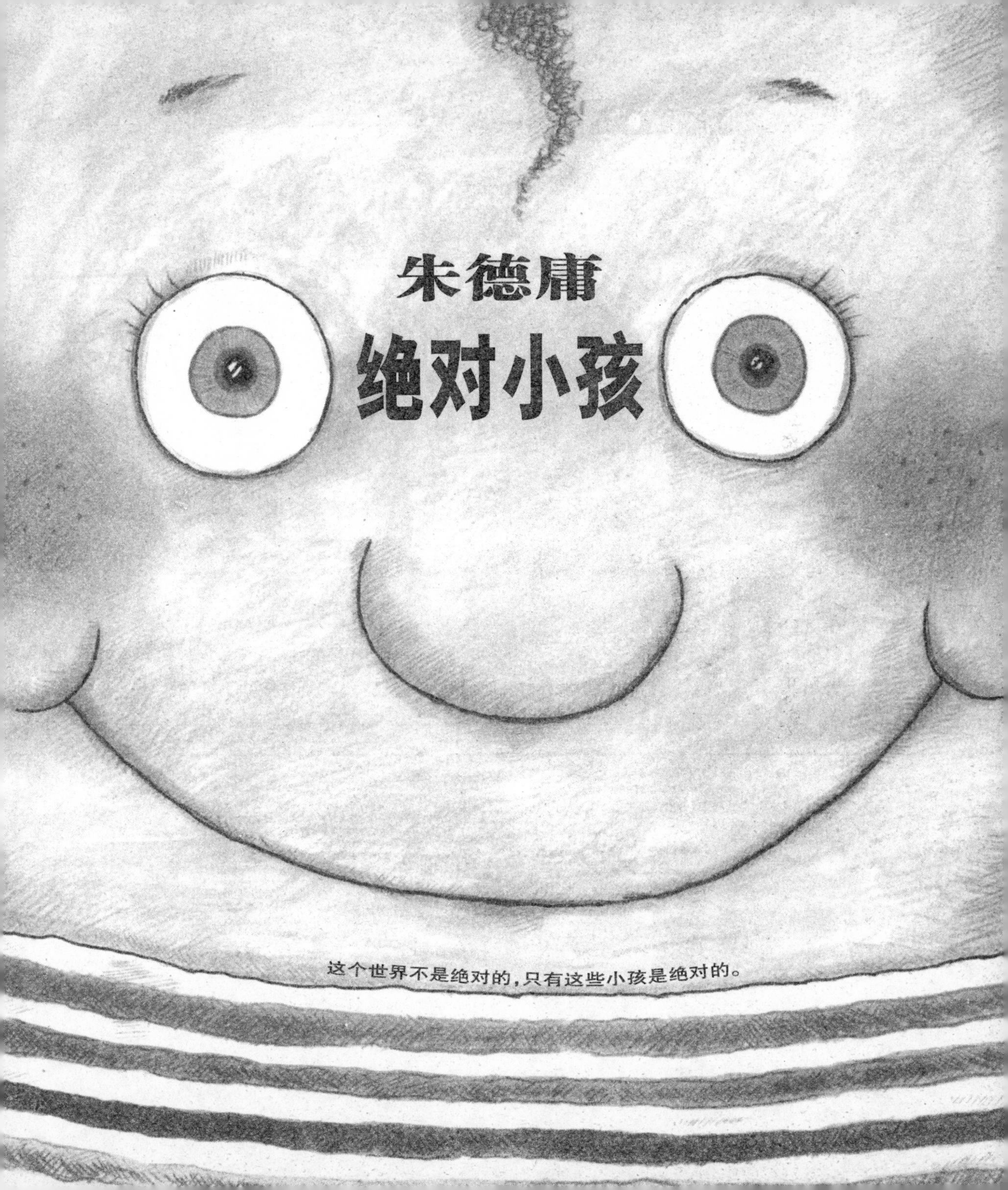

朱德庸

绝对小孩

这个世界不是绝对的,只有这些小孩是绝对的。

■披头

一对不正常的父母，创造了这个不正常的小孩，虽然他每天都努力想变成正常的小孩，每次训导处播音却总少不了他的名字。

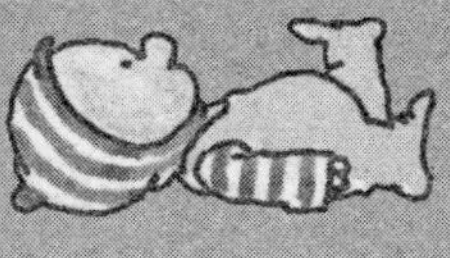

▶五毛

一个不想乖但每都在装乖的小孩。只是不管怎么装乖，父母就是觉得他很不乖。

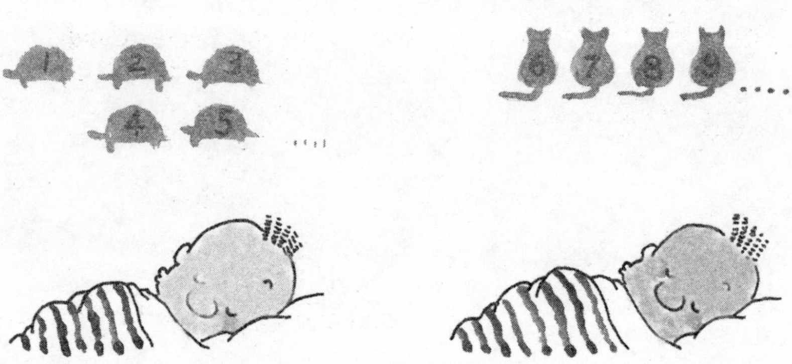

●讨厌

讨厌觉得自己并不讨厌，可惜跟他以及他父母接触的人永远会忍不住尖叫。

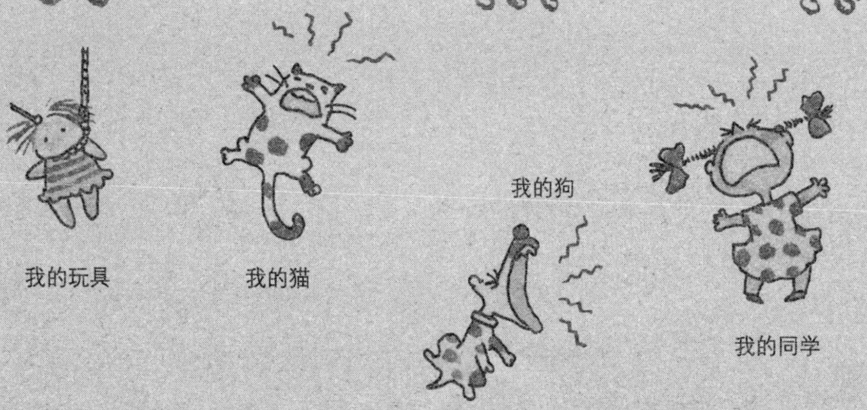

以后再也不跟女生打架了……

还是单纯的数羊好像
比较能睡着……

我的老师

我的父母

我的尖叫人生……

宝儿

一个稀奇古怪的女孩，带着一群稀奇古怪的女生，跟着一堆稀奇古怪的男生，满脑稀奇古怪的念头。

如果人类多一双眼睛，
那我就会比现在看多一倍

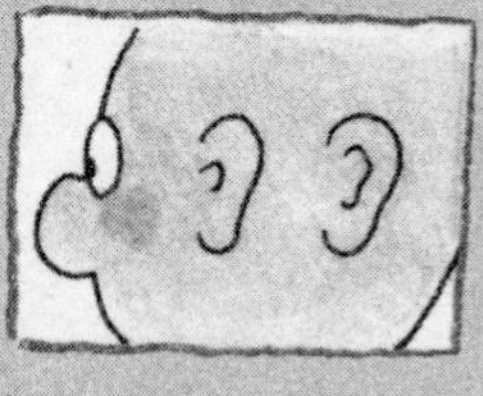

如果人类多一对耳朵，
那我就会比现在听多一倍

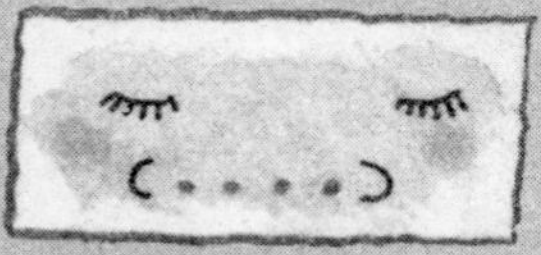

如果人类多一只鼻子，
那我就会比现在嗅多一倍

比赛小子

因为拥有比别人都认真的父母，这个小孩只好每天都在和别人比赛。他的奖怀每年比别人递增，他的身高却每年比别人递减。

贵族妞

由于父母都很有钱，所以她永远很贵族。他们全家的贵族品味只有贵族学校能够接受。

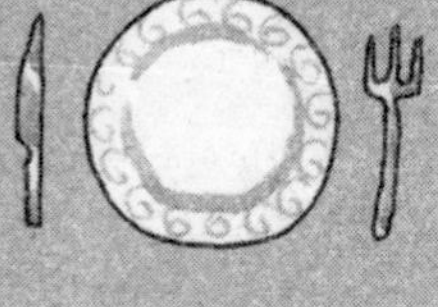

没办法想象饿肚子的滋味

没办法想像没有华服的感觉

如果人类多一张嘴吧，
那我就会怎么样呢?

那你就会比现在胖多一倍!

还不快去参加比赛!

没办法想象没有佣人的生活

更没办法想象没有爸妈的日子……

拿钱来!

每个小孩每天都以他们不可思议的方式活在这世界上……

自序 朱德庸

让我们每天再做一次小孩

每个人都有一次童年。

画漫画刚满二十年的我，以前有两种题材从来不碰：一种是动物，一种是小孩。不画动物是因为我太爱动物了，以至于无法在它们身上开任何玩笑；不画小孩是因为我太讨厌小孩了，以至于我根本排斥画他们。

我讨厌小孩的程度到连我自己的小孩出生后都躲进书房三天没有说话。记得我老婆当时叹了口气对我说：这孩子我还是自己养吧。

我讨厌小孩，因为我不想再想起我的那一次童年。

一直到我的小孩五、六岁之前，我都在学习做一个父亲该怎么去爱孩子。很多一段时间，我被迫陪着他一起成长；在他度过他童年的同时，我自己竟然仿佛重新度过一次遗忘已久的童年。

那段日子里，我的许多儿时记忆就像从大脑的阁楼深处一点一点被清扫出来，在快乐的也有不快乐的，有清晰的也有模糊的。而重新经历这些童年事件，却让我再一次看到我自己其实是个什么样的人。

小时候的我，是个非常自我的小孩。我不做我不喜欢做的事，不交我不喜欢交的朋友。当然，我绝不是那种会讨师长欢心的小孩，反而比较像《绝对小孩》漫画里披头、五毛和讨厌的综合体。想想就该知道当时我活得多么艰难了吧。而非常奇特的是，当我的脑海中再一次看到那个坐在幼稚园窗边三年只会看云的小孩、那个放学路上遇到陌生人总是偷偷发笑的小孩、那个寒暑假蹲在院子角落悄悄玩虫的小孩、那个被老师和学校因为意见太多踢来踢去的小孩，我却突然发现：几十年后每逢我面临人生转折点绞尽脑汁想出来的笑案，其实都没有超过童年时“那个小孩”对许多事情的反应。

原来，我们每个人童年时那个孩子，并不像我们以为的那样脆弱，比起大人，小孩甚至在心理上更强韧，尤其是他们的本能。你会发觉面临各种抉择时，小孩永远能最快做出对自己最有利的决定，这是大部分成人无法做到的。因为“大人”的选择，往往只是符合身边众人的期待，而不是自己的真实需要。我认为，大人的本能早已在社会讲究最大化的合理性要求下逐渐消失，就像我的儿时记忆消失在我脑海中的阁楼深处一样。

我开始明白：原来在不知不觉间，我已经被成人世界毁坏得如此之深，连自己的思考模式都一天天、一步步被推自己相反的自己。而我以往不愿再想起的那段童年，累积的就是小孩世界和成人世界之间、我孤独的对抗和妥协。

终于了解这些，是我自己的孩子十岁那年。那年初春，我陪他在北京古老的四合院里一面玩雪，一面开始画《绝对小孩》。

是的，小孩是有一个属于小孩自己的世界，和大人的世界截然不同。他们能以奇特的想法看待任何事物，所以他们对整个世界总是保持着诙谐荒谬的眼光，这和大人对任何事物都带着先入为主的观念完全相反。只是因为小孩世界对大人世界无益，于是大人拼命想把小孩从他们的世界里拉出来。

在《绝对小孩》时，我画的是小孩眼中的世界，以及小孩世界和大人世界的拉拉扯扯。我相信，这两个世界的拉扯会一直继续下去；但我也相信，很多人都还记得自己小时候是不是常有会飞翔起来的感觉？对了，那就是小孩的世界——只有想象，没有限制；仿佛拥有好多对翅膀，永远可以在云朵上游戏。

每个人都有一次童年，每个人都会长大。我们每个大人每天都以各种努力的方式活在这世界上，每个小孩每天却以他们各自不可思议的方式活在这世界上。如果，我们让自己的内心每天再做一次小孩，生命的不可思议每天将会在我们身上再流动一次。

二〇〇七.一.十二

朱德庸 这个人

他有一双成人的眼，和一颗孩子的单纯的心。

江苏太仓人，1960 年 4 月 16 日来到地球。无法接受人生里许多小小的规矩，每天都以他独特而不可思议的方式装点着这个世界。

大学主修电影编导，28 岁时坐拥符合世俗标准的理想工作，却一头栽进当时无人敢尝试的专职漫画领域，至今无辍。认为世界荒谬又有趣，每一天都不会真正地重复。因为什么事都会发生，世界才能真实地存在下去。

他曾说："其实社会的现代化程度愈高，愈需要幽默。我做不到，我失败了，但我还能笑。这就是幽默的功用。"又说："漫画和幽默的关系，就像电线杆之于狗。"

朱德庸作品经历多年仍畅销不坠，引领流行文化二十载，正版作品两岸销量已逾七百万册，占据各大海内外排行榜，在中国大陆、香港、台湾地区及韩国、东南亚、北美华人地区都甚受欢迎。作品陆续被两岸改编为电视剧、舞台剧，也被大陆传媒誉为"唯一既能赢得文化人群的尊重，又能征服时尚人群的作家"。

朱德庸创作力惊人，创作视野不断增广，幽默的叙事手法和纯粹的赤子之心却未曾受到影响。"双响炮系列"描绘婚姻与家庭、"涩女郎系列"探索两性与爱情、"醋溜族系列"剖析年轻世代的观点，他在《什么事都在发生》里展现"朱式哲学"，在《关于上班这件事》中透彻人生百态，《绝对小孩》则真实呈现他心底住着的，那个绝对小孩的观点。

朱德庸的作品

双响炮·双响炮 2·再见双响炮·再见双响炮 2·
霹雳双响炮·霹雳双响炮 2·麻辣双响炮·
醋溜族·醋溜族 2·醋溜族 3·醋溜 CITY·
涩女郎·涩女郎 2·亲爱涩女郎·粉红涩女郎·摇摆涩女郎·甜心涩女郎·
大刺猬·什么事都在发生·关于上班这件事

目录

1 自己玩一玩

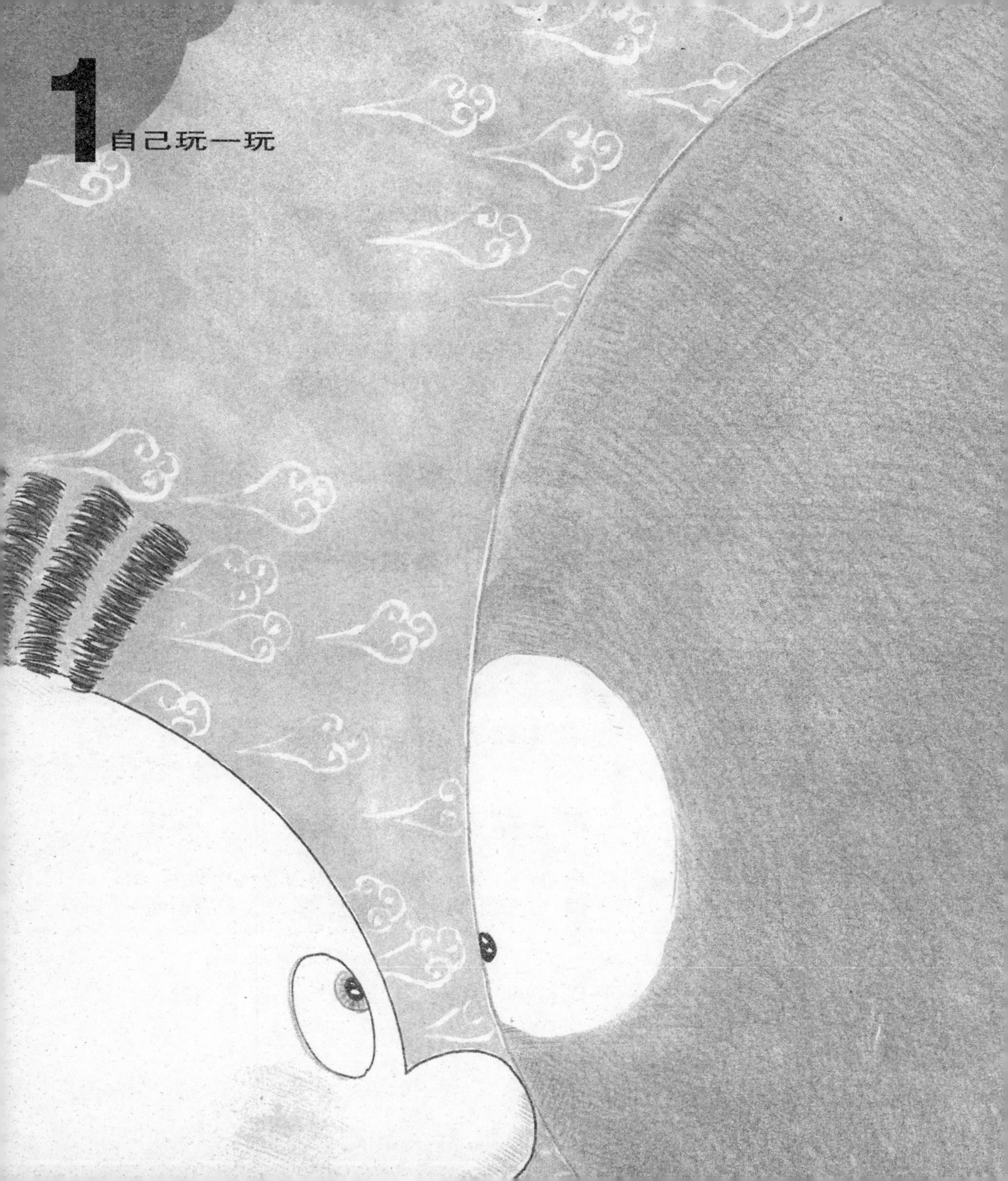

哼！看你脾气大，
还是我脾气大！

小孩用彩色的眼光看这世界，
即使他们可能是色盲。

50
哇，一点也没轻。
49
原来泪水比汗水
更容易让人减重。

为什么不能直接进化
成大人？……
学校
还好人类直立起来了，不然
我就拿不到糖糖了。

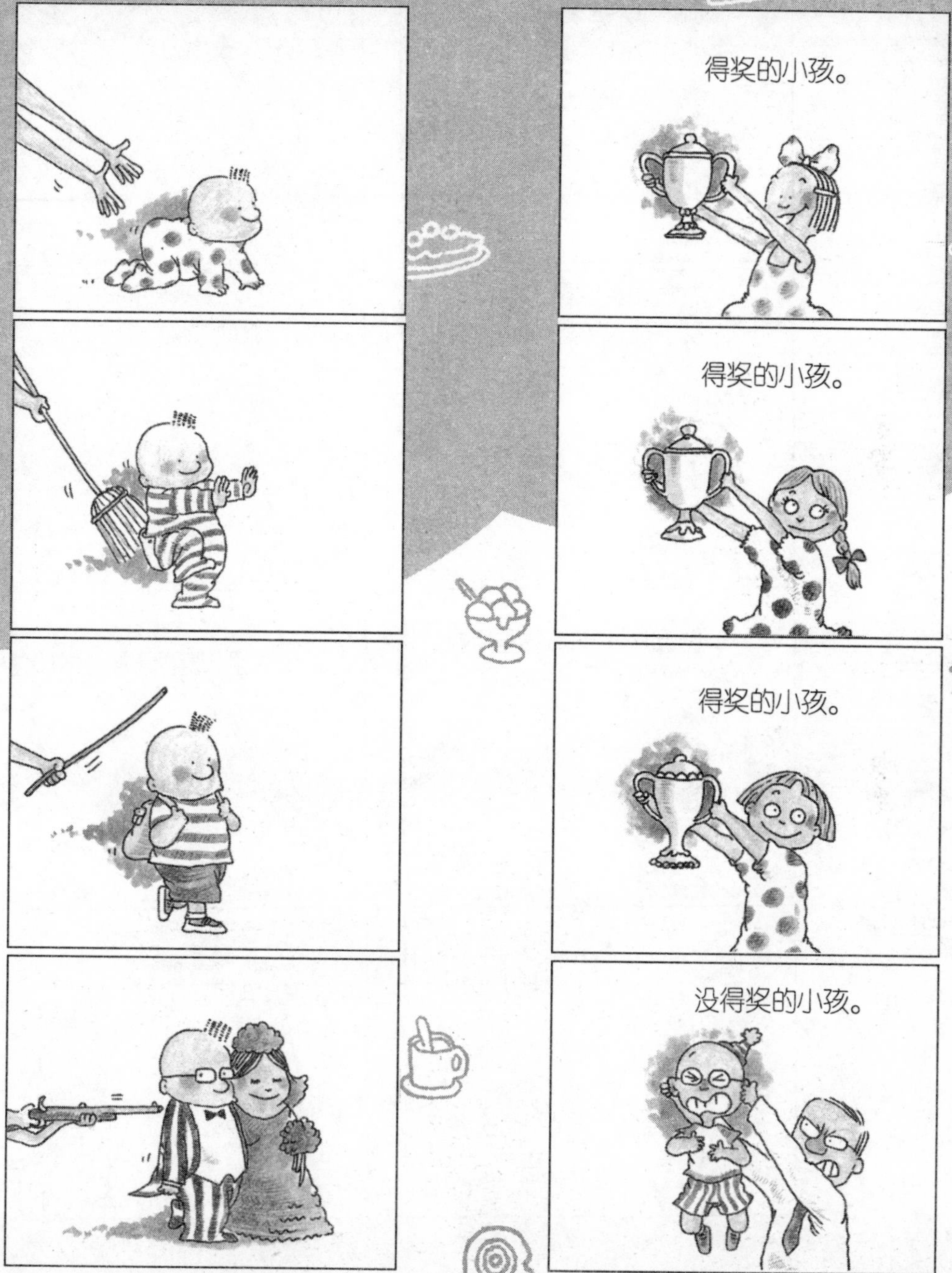

得奖的小孩。
得奖的小孩。
得奖的小孩。
没得奖的小孩。

不懂的就要问，只有不停地问，才会不断地进步。
所有的发明家、科学家，从小都是不停地问。
我随时等主你来问问题。
我老爸希望我做一个问题儿童。
爸，人生到底是什么？
你现在还太小来谈论这么严肃的问题。
那你觉得人生是什么？
我现在已经嫌太老来谈论这么严肃的问题了。

养一个小孩很贵吗?
非常非常贵，贵到我可以再养一个老婆了。
妈，以后别再唠叨了，不养我，你会更麻烦。

我爸要我以后做总统，又要我做科学家，还要我做艺术家家。
那你自己希望以后做什么?
我希望以后做爸爸，爸爸的权力实在太大了。

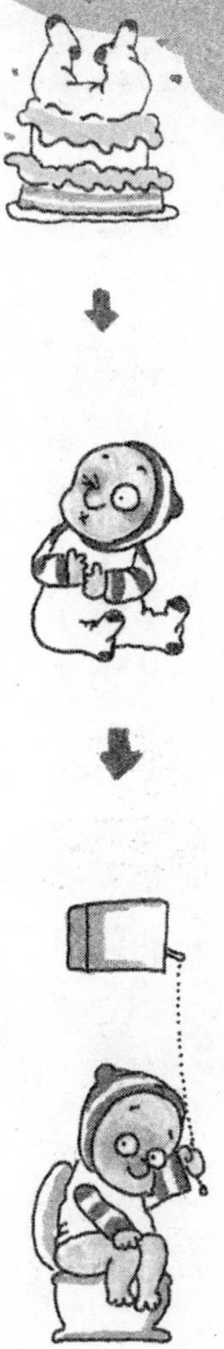

大人小孩配

- 人类有免于恐惧的自由，
  小孩有免于现实的自由。
- 小孩在生活中充满着想象，
  大人只在乎小孩在生活中像不像样。
- 儿童最富有冒险精神，所以他们会不停地诞生。

我爸要我早上学珠算，下午学电脑，晚上学英语。
我妈要我早上学钢琴，下午学绘画，晚上学芭蕾舞。
一天八小时排得让我连气都透不过。
小孩是大人的上班族。

我是你最好的朋友吗?
你当然是。
但我爸说人类最好的朋友是狗。

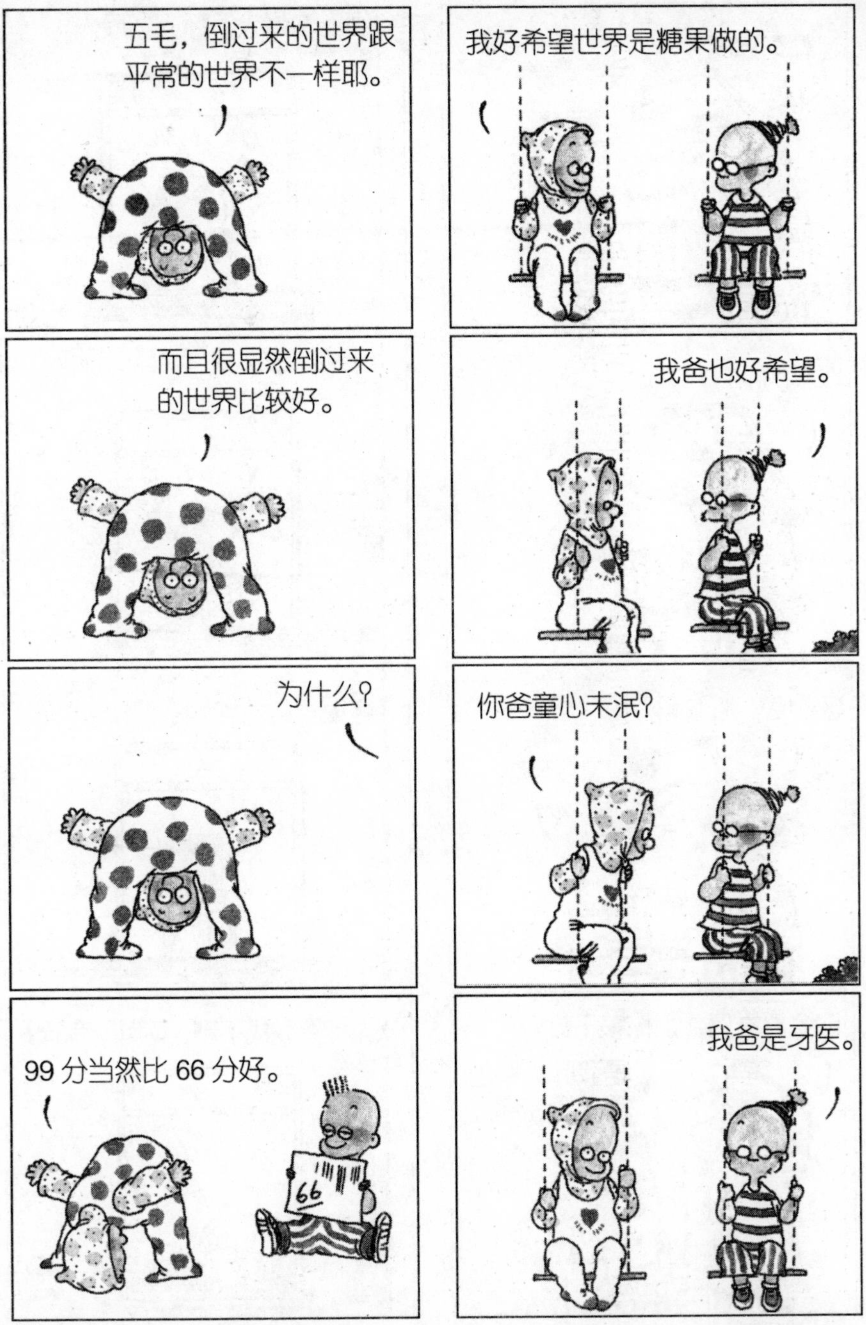
五毛，倒过来的世界跟平常的世界不一样耶。
而且很显然倒过来的世界比较好。
为什么？
99 分当然比 66 分好。
66
我好希望世界是糖果做的。
我爸也好希望。
你爸童心未泯？
我爸是牙医。

大人小孩配

● 小孩用乐观的眼光看待所有大人，大人用悲观的眼光看待所有孩子。

● 小孩看大人的世界是用『心』去看。大人看小孩的世界只用『眼睛』。

● 小孩相信奇迹，大人相信史迹。

大人小孩配

●小孩喜欢做梦，大人也喜欢做梦。只不过小孩的梦是普遍级，大人的则是限制级。

●大人整天追求自己的白日梦，却不准小孩整天做白日梦。

●儿童是梦想家，等到青春后他们只想不回家。

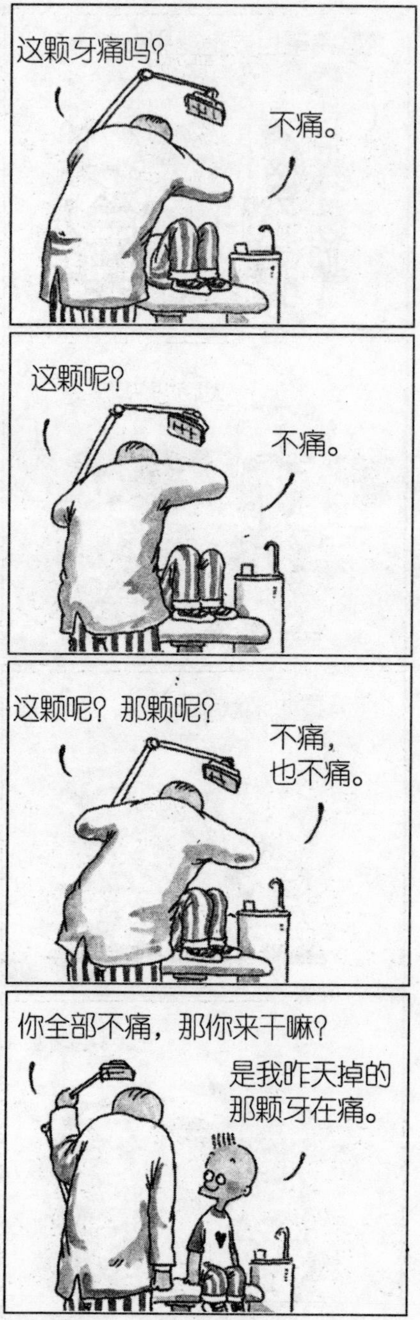
这颗牙痛吗？
不痛。
这颗呢？
不痛。
这颗呢？那颗呢？
不痛，也不痛。
你全部不痛，那你来干嘛？
是我昨天掉的那颗牙在痛。

世上有好人、坏人、废人、穷人、富人……
男人、女人、笨人、聪明人、名人、圣人……
既然有这么多的人，
为什么我找不到人可以陪我玩？

上衣是名牌，裙子也是，我全身都是名牌。
我妈希望把我打扮得像橱窗模特一样漂亮。
好炫。
好累，我妈也希望我像橱窗模特儿一样别乱动。

我长大后要去巴黎。
我长大后要去罗马。
你长大后呢?
去减肥。

大人小孩配

- 小孩用彩色的眼光看这世界，即使他们可能是色盲。
- 每个父亲都以为自己的小孩是天才，以至于很多小孩为了不让父母失望，只好拼命让自己像天才。

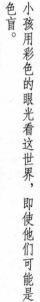

大人小孩配

小孩惯用语是『我们的』，大人惯用语是『我的』。

小孩的世界是由玩具做天空，糖果做大地，游戏当法则，父母是四季。

大人的世界是由地位做天空，金钱做大地，人际关系当法则，电视是四季。

别开枪，我是好人。
证明给我看。
我曾经借你十元，还有机器人、游戏卡、怪曾对打机，你没还我，我也都没要。
唉，杀人灭口……
我要当好人！
我要当好人！
我要当好人！
我才要！
别吵了，这世界根本就没有真正的好人。
一个世故的小孩。

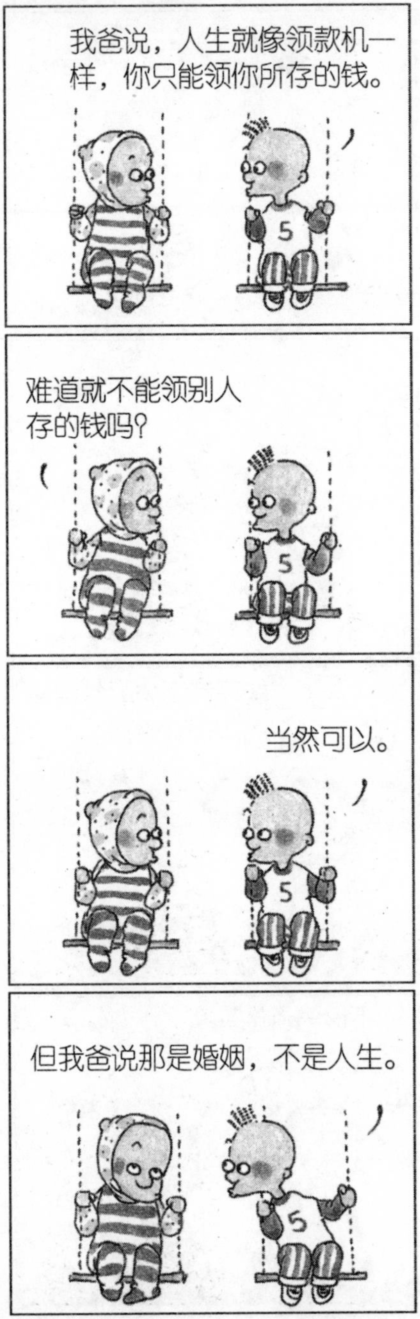
我爸说，人生就像领款机一样，你只能领你所存的钱。
难道就不能领别人存的钱吗？
当然可以。
但我爸说那是婚姻，不是人生。

对大人而言，人生是很可怕的。
对小孩呢？
生人比较可怕。

大人小孩配

● 每个小孩都是哲学家，因为他们几乎都拥有一对令人费解的父母。

每对父母都是教育家，因为他们几乎都拥有一套令人费解的教育方式

● 大人的使命是上班，小孩的使命是上课。

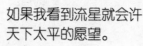

大人小孩配

● 大人都有竞争心态，只不过因为自己已经长大，许多事不方便再竞争，所以转而让小孩替代他们去竞争。

● 大人看大人的世界是用成功作标准。大人看小孩的世界则是用成绩作标准。

如果我看到流星就会许天下太平的愿望。
何必那么麻烦等流星?
我妈每次都说只要等我睡着，天下就太平了。
咕……
咕…
咕……
哇，好多青蛙叫声。
咕……
能在都市里听到自然的叫声真幸福。
咕……
该不该告诉她其实是我肚子饿了……
咕…

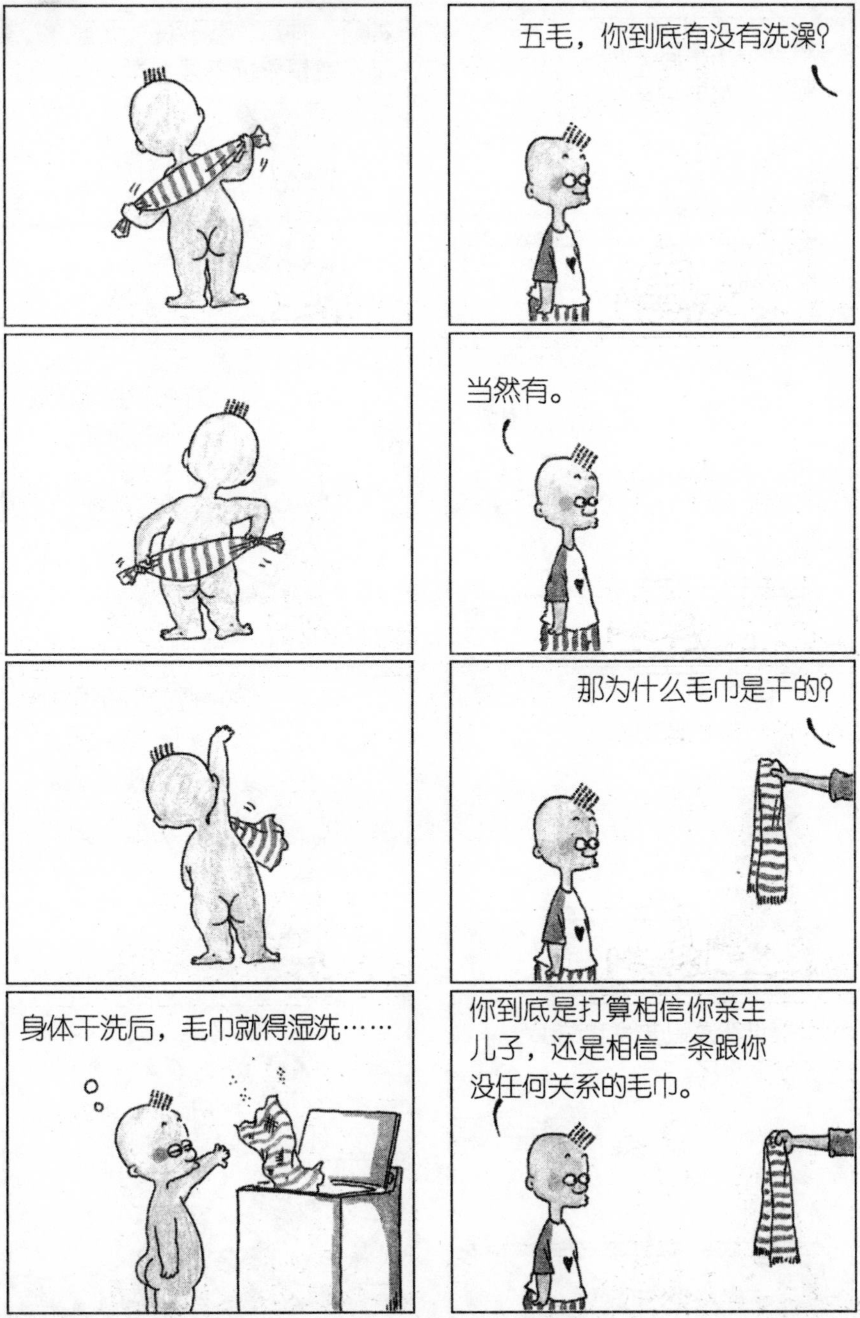
五毛，你到底有没有洗澡？
当然有。
那为什么毛巾是干的？
你到底是打算相信你亲生儿子，还是相信一条跟你没任何关系的毛巾。
身体干洗后，毛巾就得湿洗……

大人小孩配

● 爸妈希望小孩听他们的话，小孩希望爸妈听他的话，结果是谁也不听谁的话。

● 人生是不断的犯错与原谅。父母原谅小孩所犯的错，小孩长大成人后再原谅父母以前所犯的错。

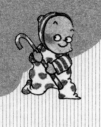

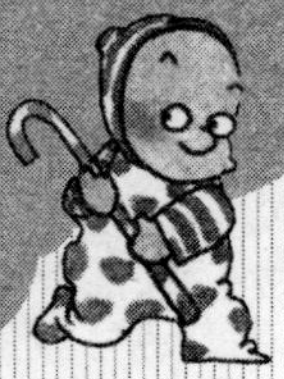

大人小孩配

- 大人的世界是一个数目的世界。小孩的世界是一个速食的世界。
- 小孩的世界是由糖果做成的。大人的世界是用买糖果的钱构成的。
- 大人的压力是业绩，小孩的压力是成绩。

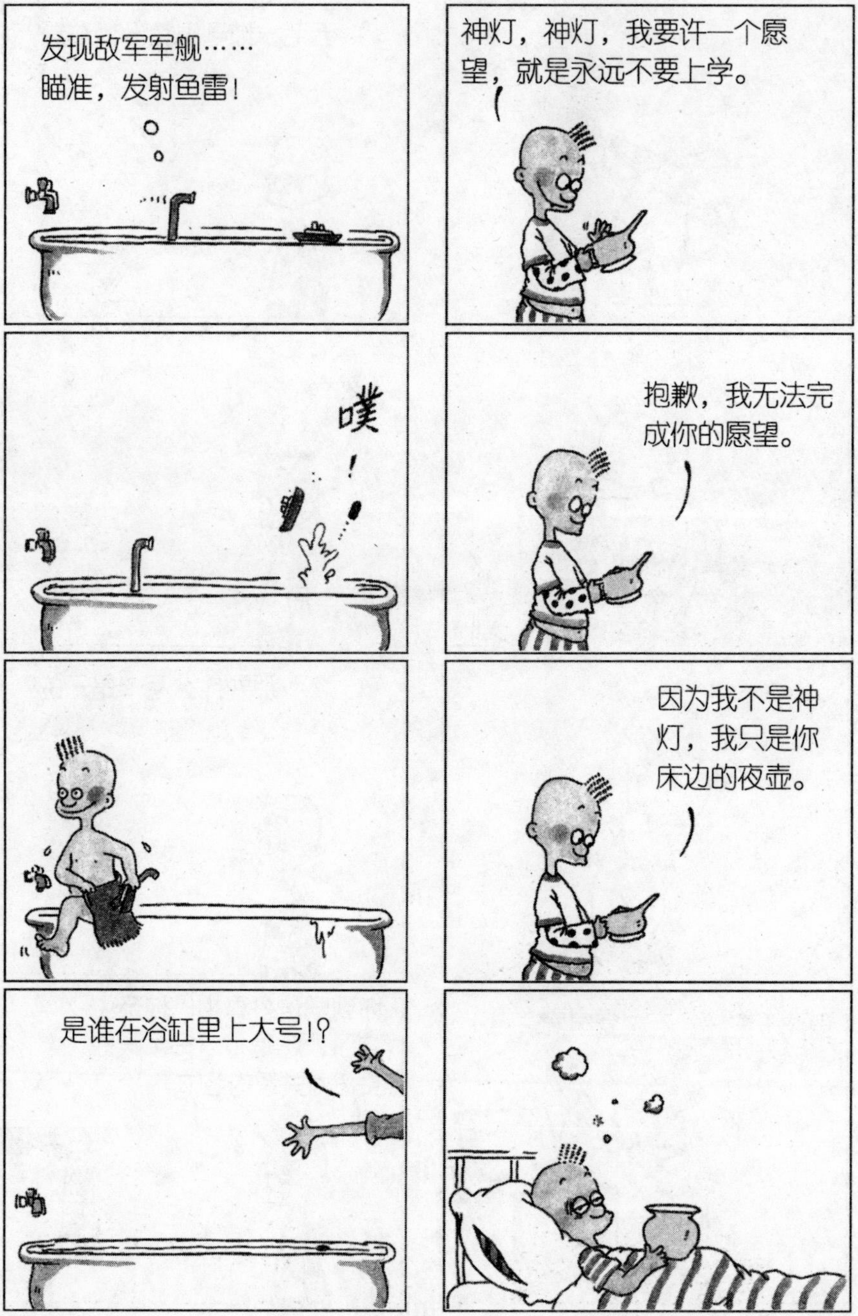
发现敌军军舰……
瞄准，发射鱼雷！
噗！
是谁在浴缸里上大号！?
神灯，神灯，我要许一个愿望，就是永远不要上学。
抱歉，我无法完成你的愿望。
因为我不是神灯，我只是你床边的夜壶。

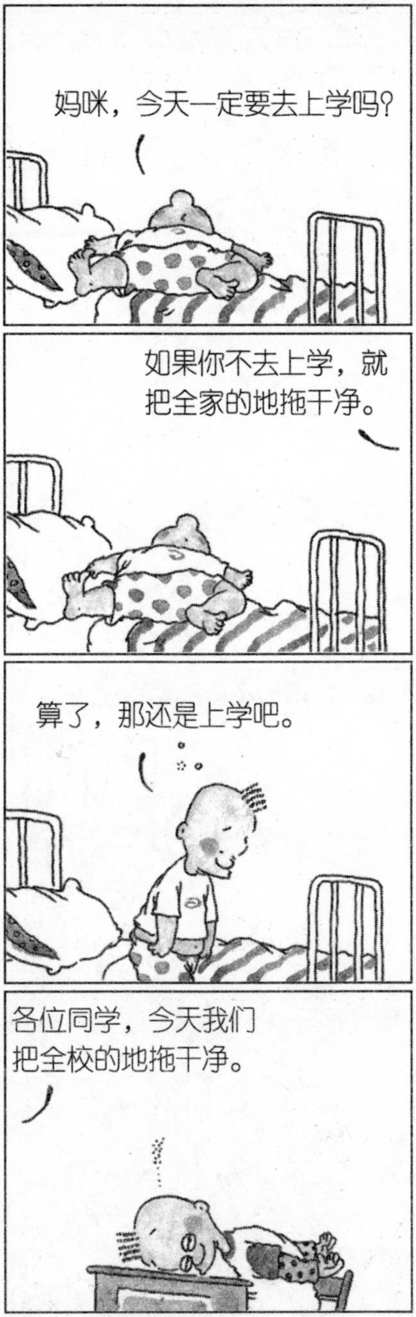
妈咪，今天一定要去上学吗？
如果你不去上学，就
把全家的地拖干净。
算了，那还是上学吧。
各位同学，今天我们
把全校的地拖干净。

大人小孩配

- 小孩脑袋里充满着『不可能』的事物，大人脑袋里充满着『不能』的规矩。
- 白马王子配白雪公主，那是大人的想法。汉堡配薯条加可乐，那才是小孩的想法。
- 人生如果是一场戏剧，儿童就是恶作剧。

起来！坐下！
打滚！装死！
笨狗！没一句听得懂！
它听得懂这一句……
我以后再也不敢乱惹狗了……
我以后再也不敢乱惹你妈了……

我爸妈整天吵架，
吵得我快烦死了！
我决定离家出走！
唉，还是等下回爸妈都还没
离家出走前再离家出走吧。
你这次打算离家出走到哪里？
就到这儿。
但这才离你家十公尺而已。
我现在身上的钱
只够离家这么远。

你离家出走带了什么东西?
我带了……刮胡刀、古龙水、信用卡、领带……
咦?这不是我老爸的东西吗?
玩具……BB枪……怪兽对打机……完了，今天我别想离家出走了……
我爸说如果生气，就从一数到一百。
这样就会心平气和不乱发火了。
很难，我现在只学会一到六十，下面的老师还没教。

伯母，披头离家出走，难道你都不担心？
放心，他会出现的。
你哭什么？
我也不晓得，突然就觉得很想哭。
神经病。
这倒是一个可以哭的好理由。

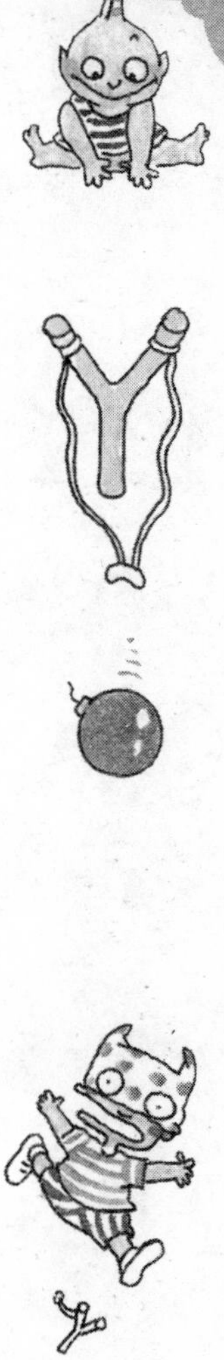

哭解决不了问题。
你看，笑也没解决问题。
你怎么了？
我牙好疼……
吃太多糖了……
现在换糖在吃我了……

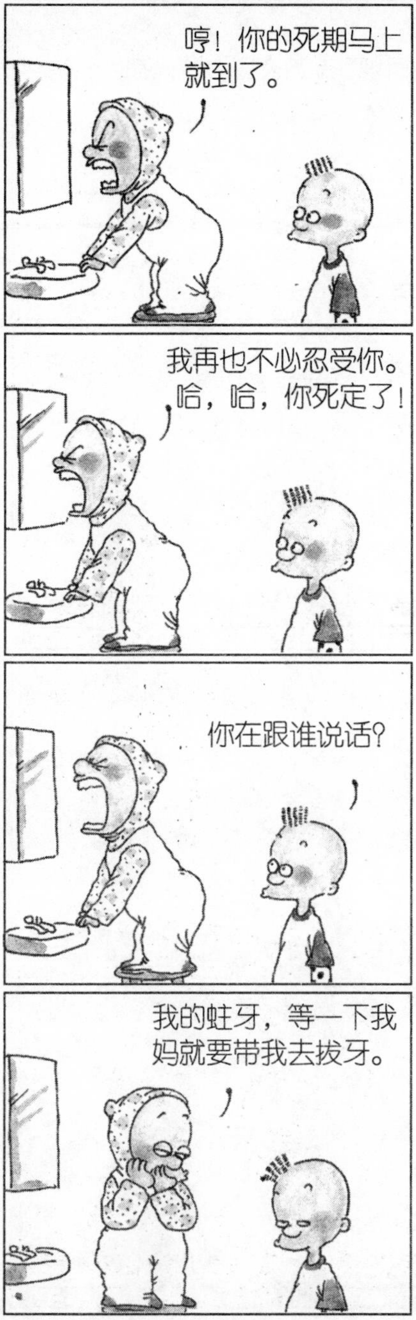
哼！你的死期马上就到了。
我再也不必忍受你。哈，哈，你死定了！
你在跟谁说话？
我的蛀牙，等一下我妈就要带我去拔牙。

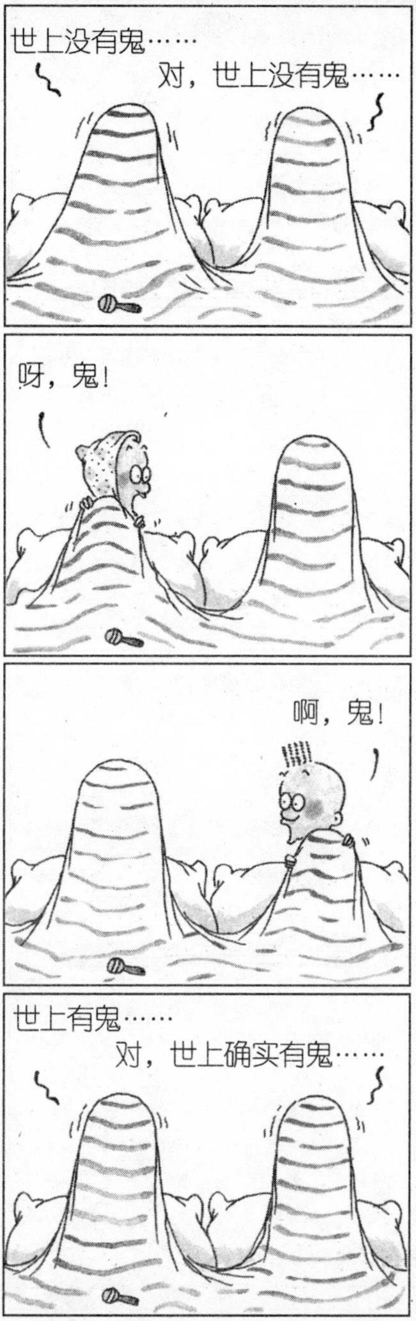
世上没有鬼……
对，世上没有鬼……
呀，鬼！
啊，鬼！
世上有鬼……
对，世上确实有鬼……

大人小孩配

●无法可管的噪音就是儿童的嬉戏时的声音。

●儿童是制造问题的高手，同时也是解决问题的高手。因为只要他离开，问题就消失了。

●所谓儿童专家，就是自以为了解孩子的世界，其实只是不够了解成人世界的那一种人。

是不是只有神才能把鬼打跑？
当然，而且听说只要是跟神有关的都可以。
神经病可以吗？

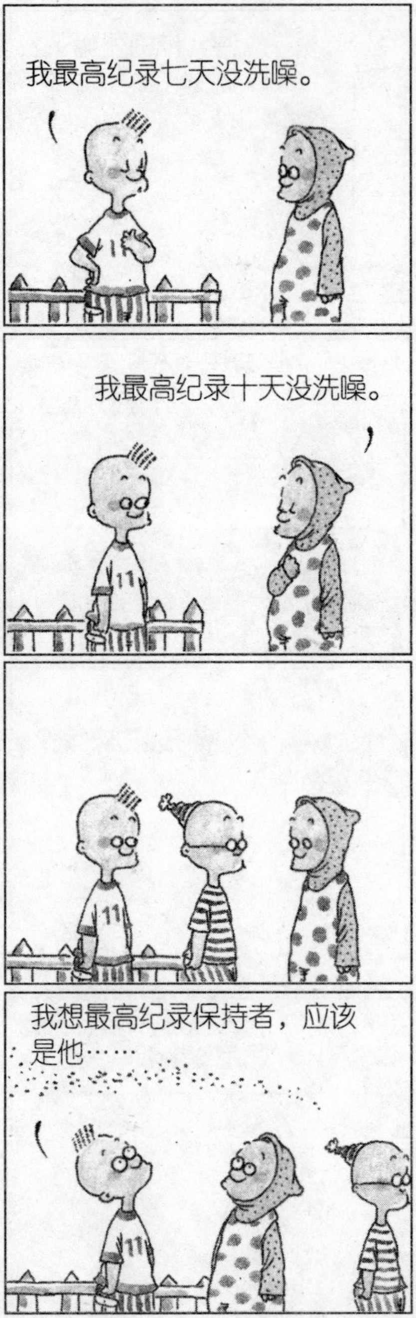
我最高纪录七天没洗澡。
我最高纪录十天没洗澡。
我想最高纪录保持者，应该是他……

我在思考为什么人要洗澡？
爱因斯坦在这个年纪绝不会只想这么狭窄的问题。
为什么人跟狗跟猫要洗澡？

牛顿在苹果树下发明了万有引力定律。
还好牛顿只被一粒苹果砸到，否则恐怕什么定律也想不起来。

大人小孩配

- 一个小孩只是一个小孩，两个小孩就是一场灾难。
- 灾难的规模大小与小孩的数目成正比。
- 需要弥补损害的程度与小孩的年龄成反比。
- 儿童有益于活跃市场经济，因为人们总是不停地弄坏东西。

大人小孩配

当初牛顿就是用一颗苹果证明地心引力。
哇，地心引力消失了！

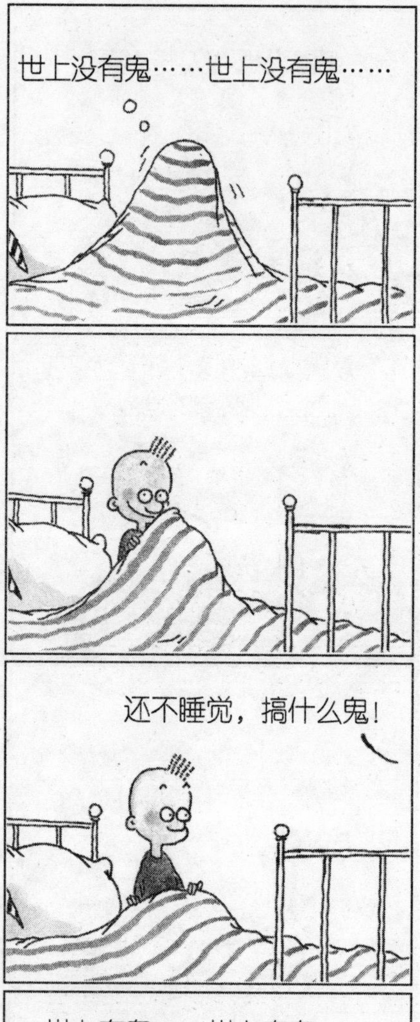
世上没有鬼……世上没有鬼……
还不睡觉，搞什么鬼！
世上有鬼……世上有鬼……

●不贰过最简单的方法，就是犯第二次错时决不承认。

——一个顽童的顽皮哲学。

●小孩喜欢神话、童话、鬼话、笑话，更喜欢不听话。

注意事项
注意事项
注意事项
看样子老妈这次会
离家出走很久。
注意事项

这个月你离家出走多少次？
不多，比我爸爸少。
你爸爸多少次？
不多，比我妈妈少。

大人小孩配

● 成人和儿童最大的区别在于：儿童只在乎玩具，大人只在乎玩具价钱。

● 出生法则五大类型：
(1)笨父母生出笨小孩。
(2)聪明父母生出聪明小孩。

大人小孩配

(5)笨父母生出聪明小孩。
(4)聪明父母生出笨小孩。
(3)生出的小孩决定父母是聪明还是笨。

● 不要随便骂自己的小孩笨，有时你会不小心骂到自己。

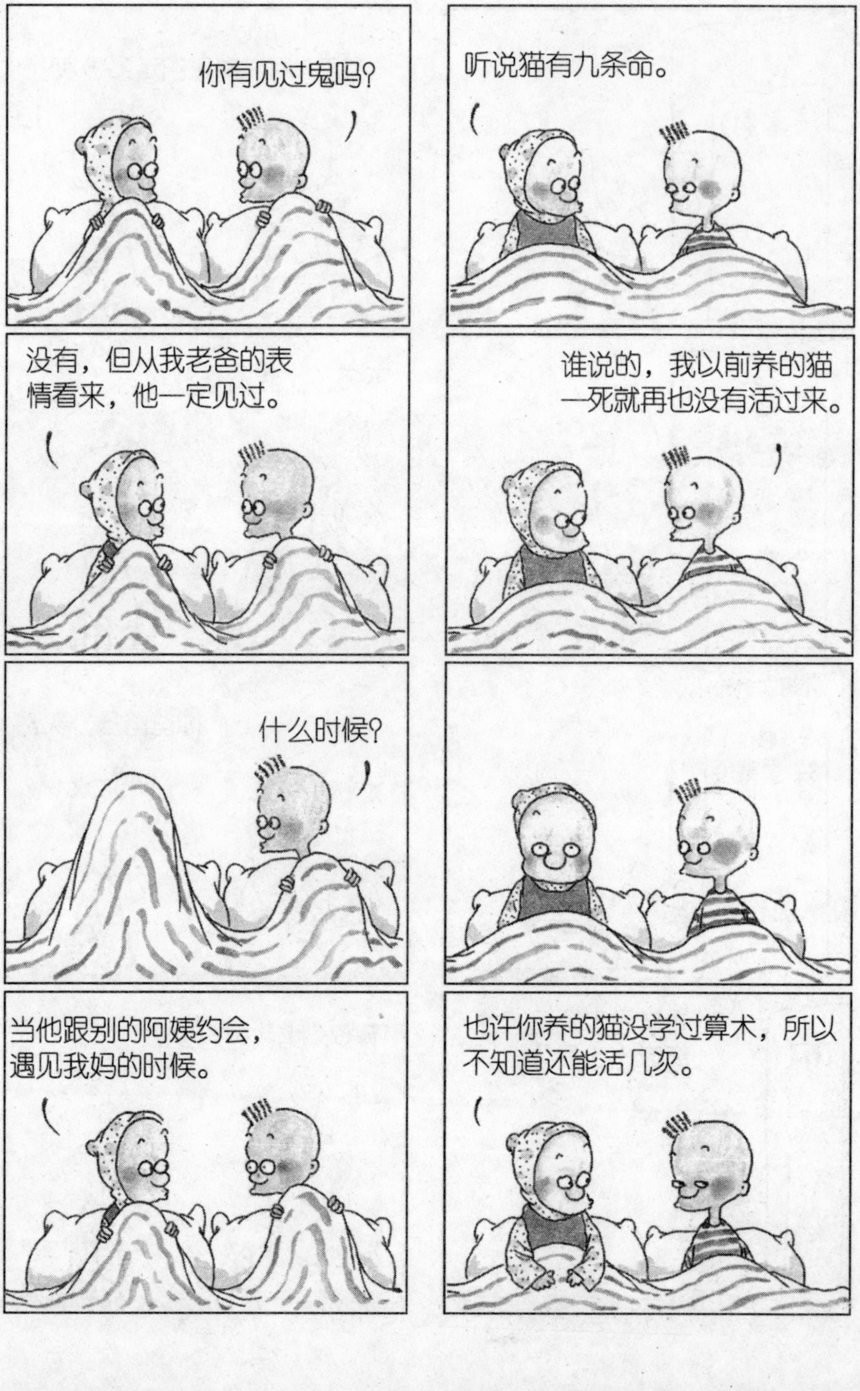
你有见过鬼吗？
没有，但从我老爸的表情看来，他一定见过。
什么时候？
当他跟别的阿姨约会，遇见我妈的时候。
听说猫有九条命。
谁说的，我以前养的猫一死就再也没有活过来。
也许你养的猫没学过算术，所以不知道还能活几次。

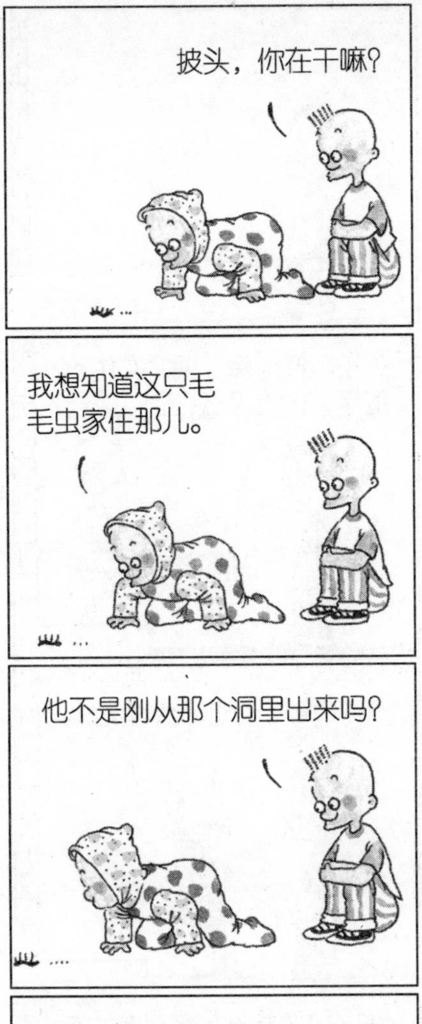

披头，你在干嘛？
我想知道这只毛
毛虫家住那儿。
他不是刚从那个洞里出来吗？
那是他女朋友家。

我们来玩扮家家酒。
五毛呢？
他扮演我老公。

大人小孩配

●再笨的大人都能为这世界创造出一些好东西，譬如说：制造孩子。

●大人有个大人世界，小孩有个小孩世界。大人用尽方法想把小孩拉到他们的世界里，小孩却只想待在自己的世界。

大人小孩配

● 大人世界和小孩世界相同的问题是：小孩的零用钱不够用，大人的薪水也不够用。

● 小孩想哭就哭，该笑就笑，要叫就叫，这是他们和大人最不相同之处。

● 小孩为需要睁一只眼闭一只眼也能交朋友。

我爸说谁牵了我的手谁就得娶我。
但我刚才也牵了她的手?!
惨了，我们有外遇的麻烦了。
关于我同时牵了两个女生的手，你爸怎么说?
他什么也没说。
他现在正在向我妈解释有关昨天牵了另一个女人的手的事。

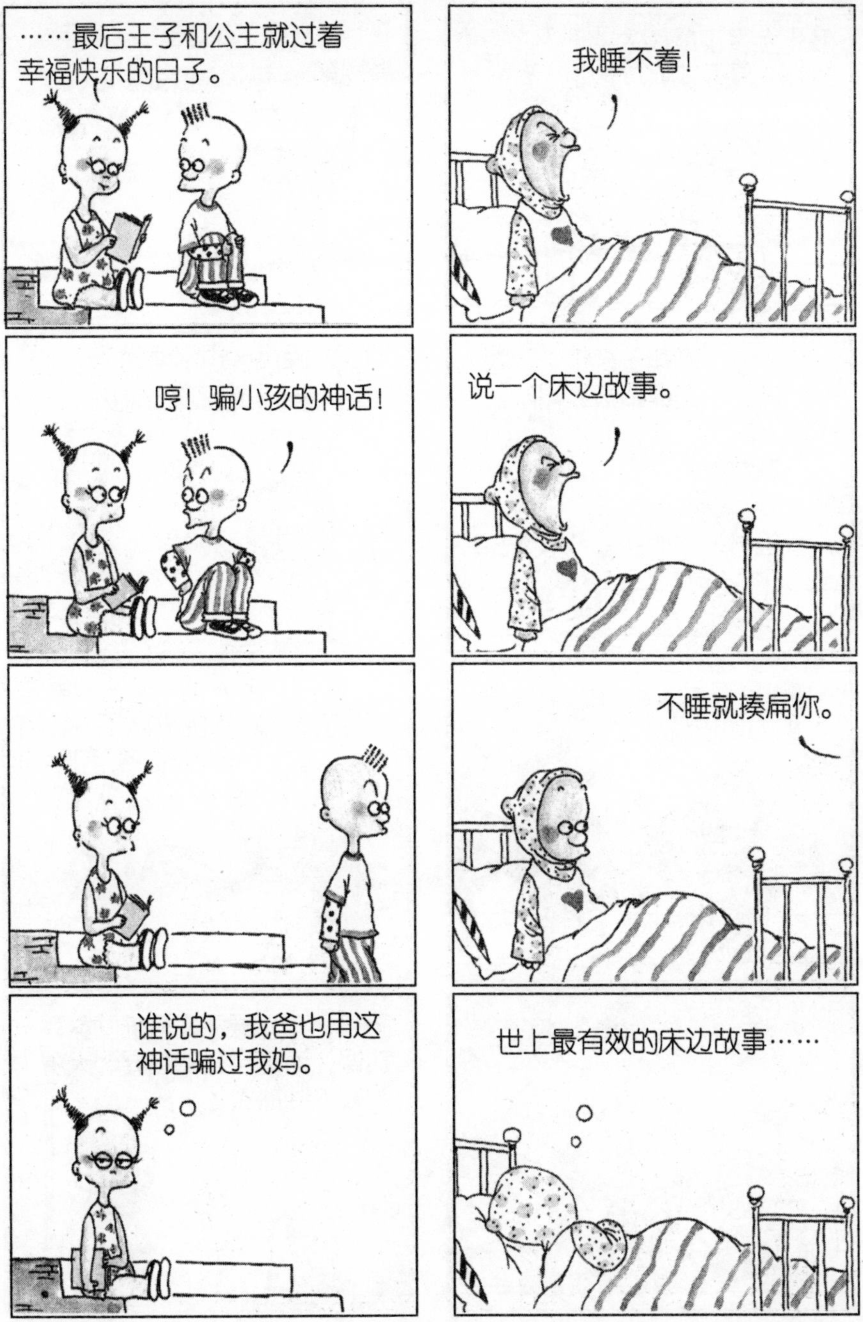
……最后王子和公主就过着幸福快乐的日子。
哼！骗小孩的神话！
谁说的，我爸也用这神话骗过我妈。
我睡不着！
说一个床边故事。
不睡就揍扁你。
世上最有效的床边故事……

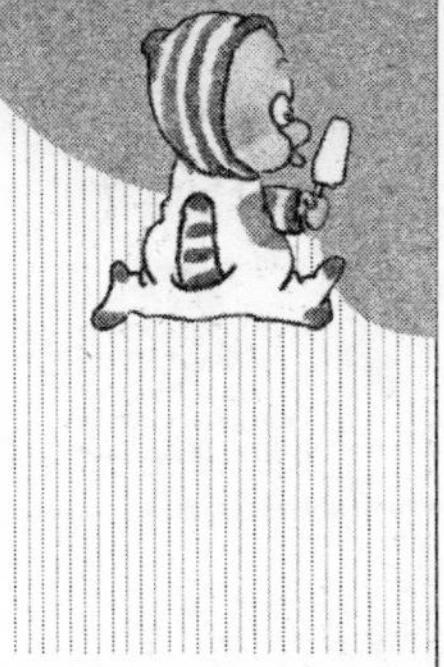

大人小孩配

● 儿童都喜欢小丑，大人则否，因为自己已经够像了。

● 大人不喜欢生日蛋糕上的蜡烛多，是因为担心透露自己的年龄。小孩不喜欢在生日蛋糕上的蜡烛多，是因为担心沾掉太多鲜奶油。

大人小孩配

●小孩都是乐天派，所以好事都会发生在他们身上。大人是悲天派，所以好事也会被他们搞成了坏事。

●儿童经常笑脸迎人，因为他们知道长大后就笑不出来了。

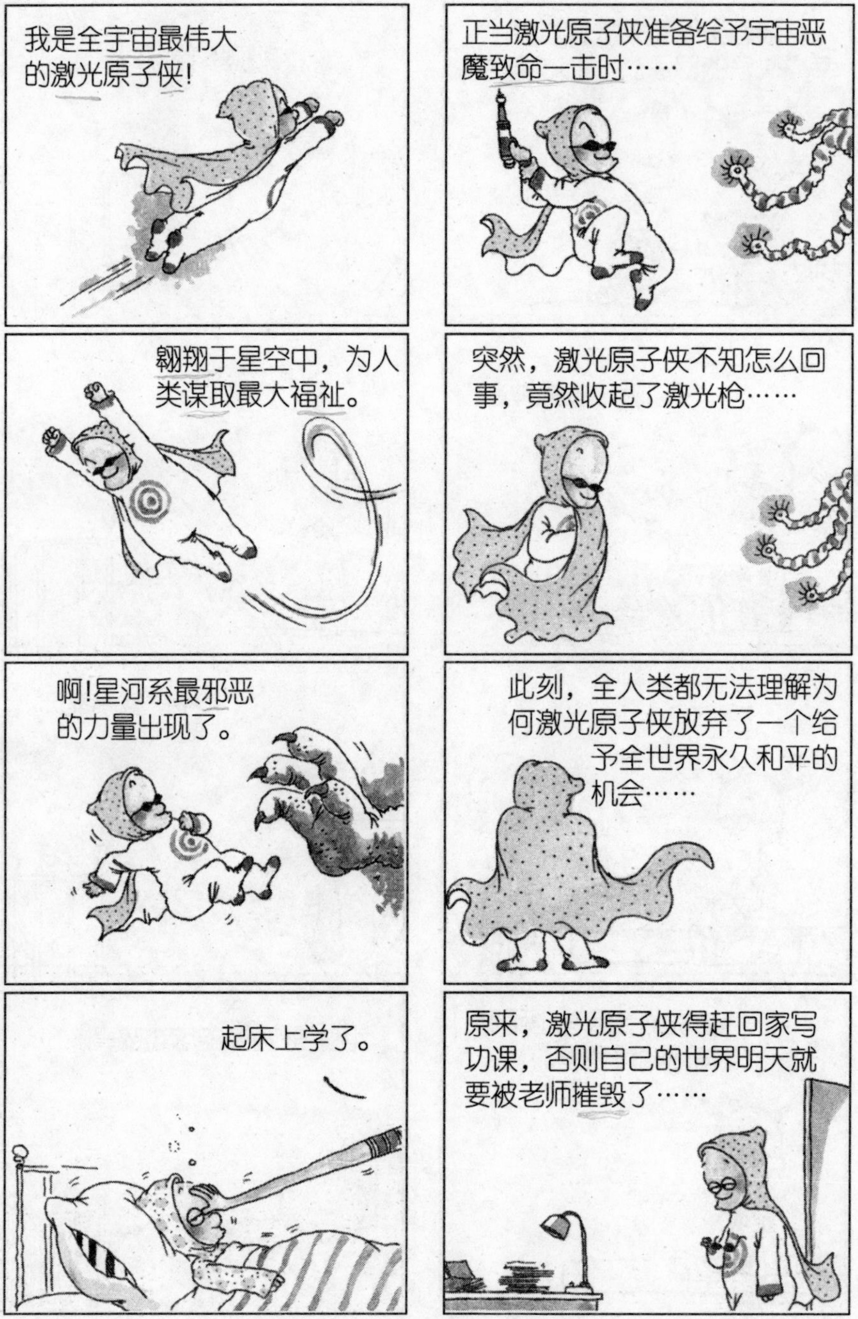

我是全宇宙最伟大的激光原子侠！
翱翔于星空中，为人类谋取最大福祉。
啊！星河系最邪恶的力量出现了。
起床上学了。
正当激光原子侠准备给予宇宙恶魔致命一击时……
突然，激光原子侠不知怎么回事，竟然收起了激光枪……
此刻，全人类都无法理解为何激光原子侠放弃了一个给予全世界永久和平的机会……
原来，激光原子侠得赶回家写功课，否则自己的世界明天就要被老师摧毁了……

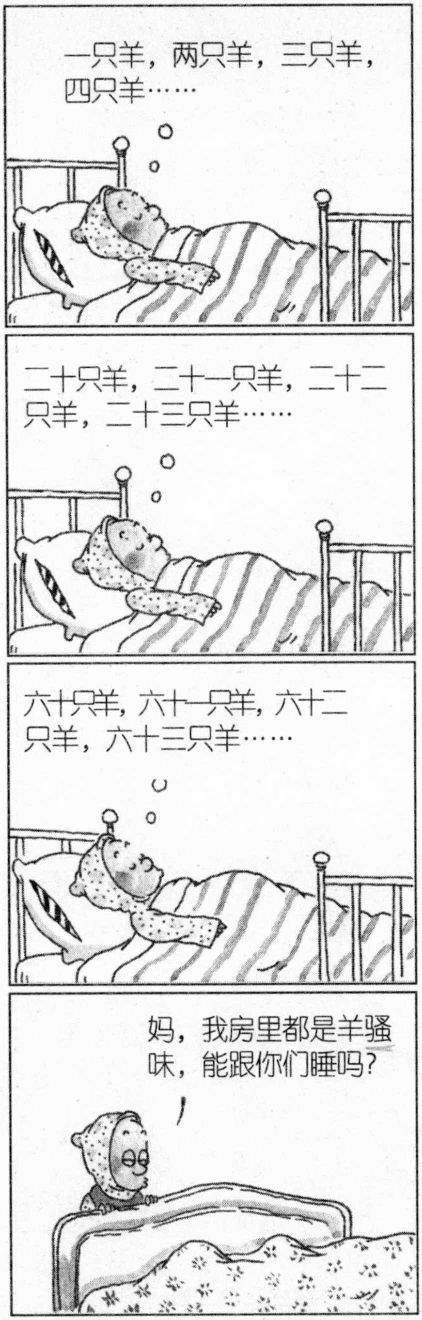
一只羊，两只羊，三只羊，四只羊……
二十只羊，二十一只羊，二十二只羊，二十三只羊……
六十只羊，六十一只羊，六十二只羊，六十三只羊……
妈，我房里都是羊骚味，能跟你们睡吗？

激光原子侠又再度出现拯救全世界！
但是宇宙恶魔实在太厉害了！
激光原子侠这时被恶魔射出的八个电波光环套住，眼见小命不保。
死孩子，你怎么连考八个大鸭蛋！！

大人小孩配

- 大人的速度总比小孩快，大人的想象总比小孩慢。
- 对大人来说，时间永远不够用；对小孩来说，时间永远用不完。
- 对大人来说，世界再大还是只有这么大；对小孩来说，他自己的世界已经很大了。

第三次世界大战一触即发，又是激光原子侠出动的时候了。
经过再三翰旋，终于让布什和本·拉登握手言和。
什么翰旋!是“斡”旋，你到底在写什么!
唉，第三次世界大战就为了一个错别字而无法挽回……
爸爸的行李。
妈妈的行李。
我的行李。
大家抽签决定谁先离家出走。

披头，你要好好保重自己，爸爸离家出走了。
披头，你要好好保重自己，妈妈也要离家出走了。
披头，你要好好保重自己，因为你不能离家出走了。
我爸妈又离家出走了。
他们动不动就离家出走，你吃饭问题怎么解决？
没问题，别担心。
谁又把我的饭吃掉了？

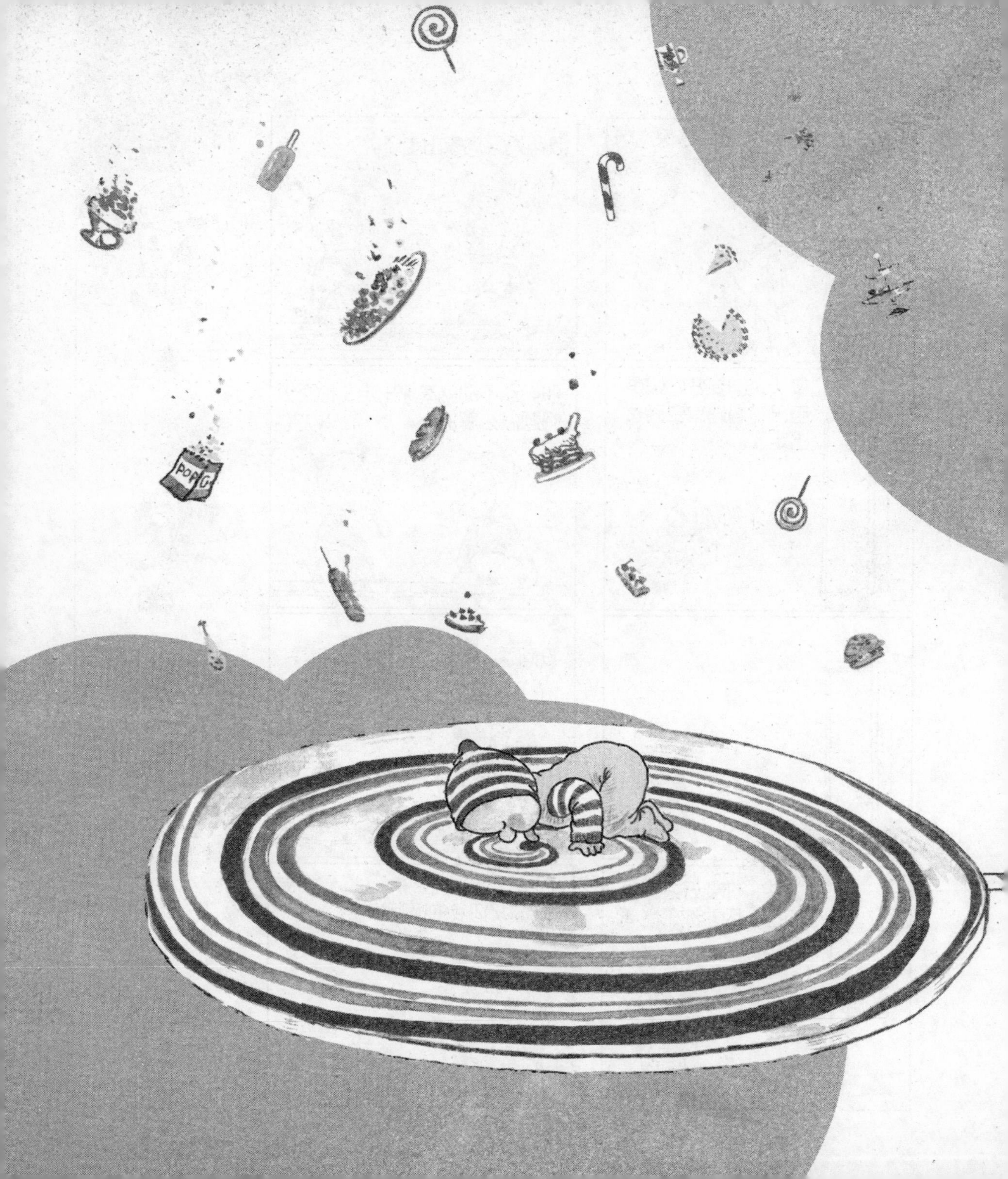
POP

如果全世界的甜食都是我的糖果，那该有多好！

2 自己想一想

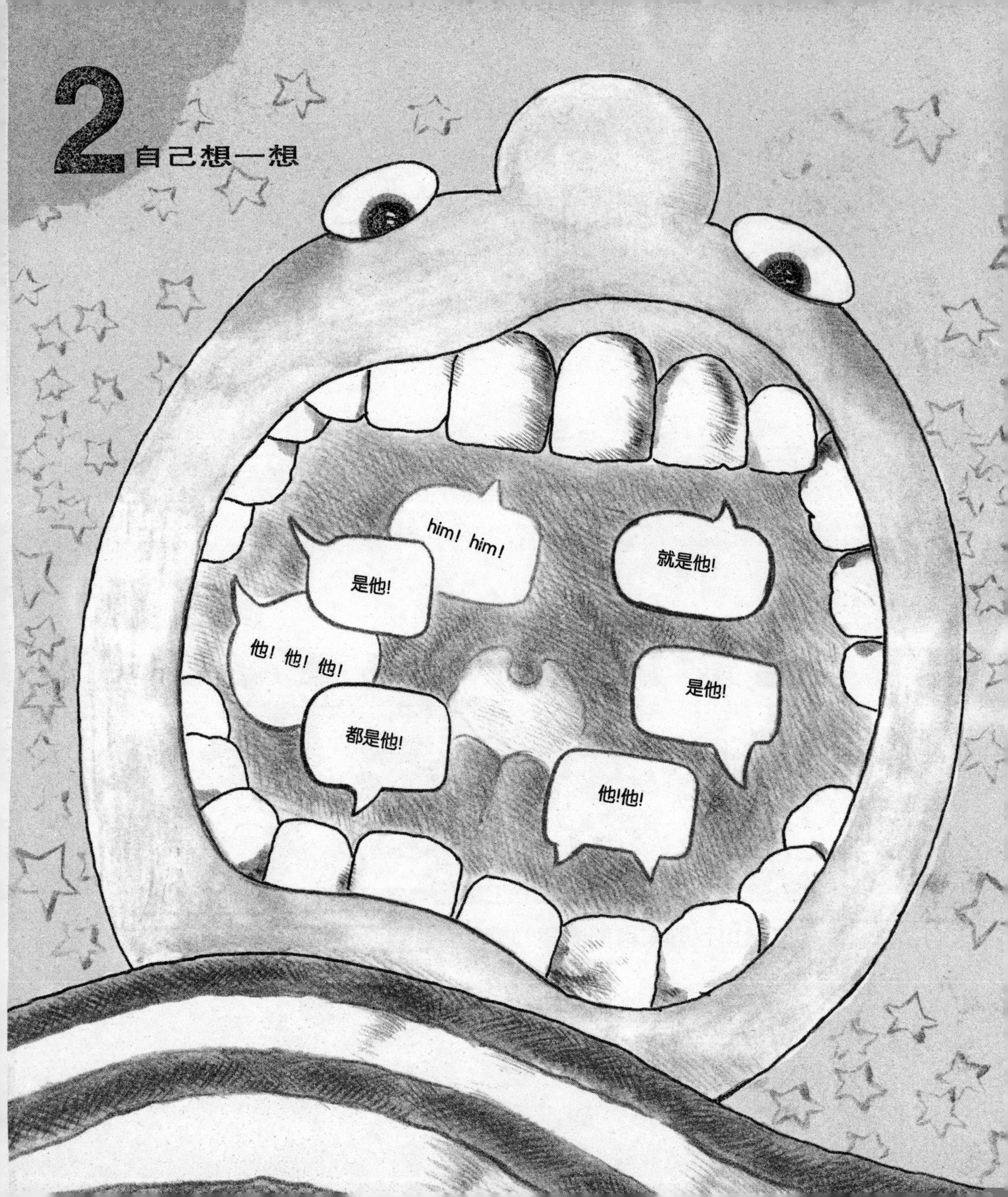

him！him！
是他!
就是他!
他！他！他！
是他!
都是他!
他!他!

那就全拔了吧。

大人每天多认识一些别人，
小孩每天多认识一些自己。

动物总可以喂食
人类吧……

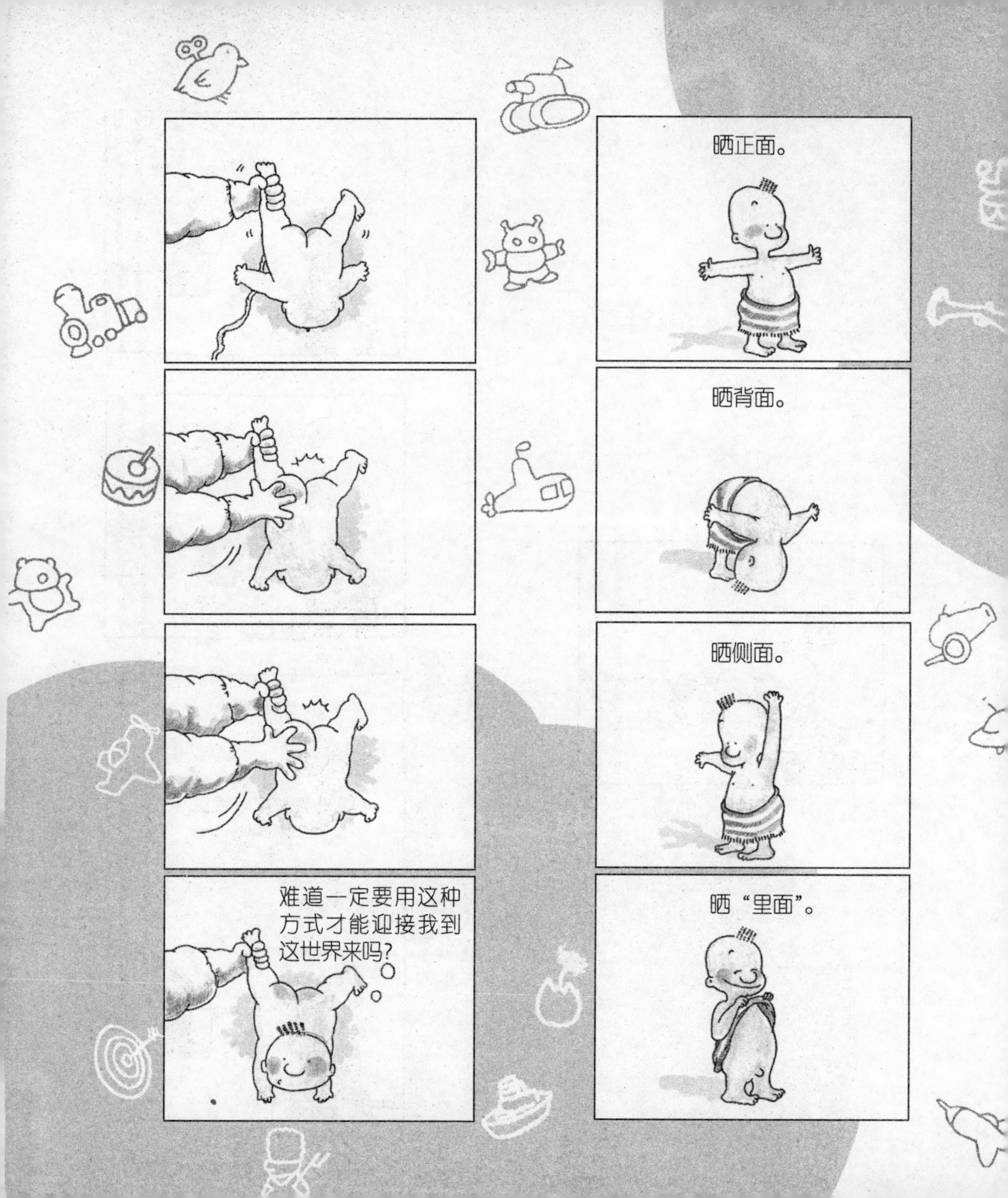
晒正面。
晒背面。
晒侧面。
难道一定要用这种方式才能迎接我到这世界来吗?
晒“里面”。

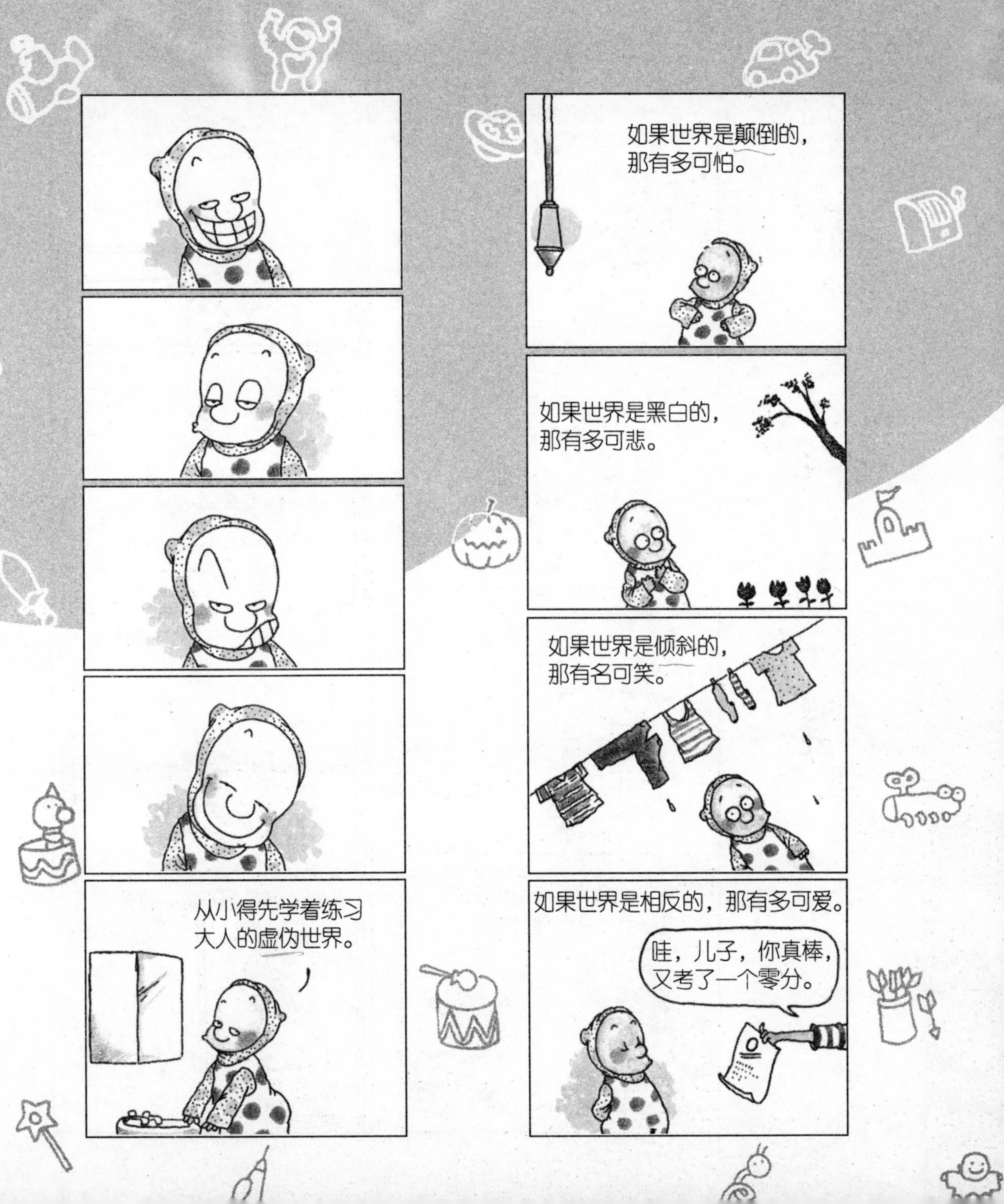

从小得先学着练习
大人的虚伪世界。
如果世界是颠倒的，
那有多可怕。
如果世界是黑白的，
那有多可悲。
如果世界是倾斜的，
那有名可笑。
如果世界是相反的，那有多可爱。
哇，儿子，你真棒，
又考了一个零分。

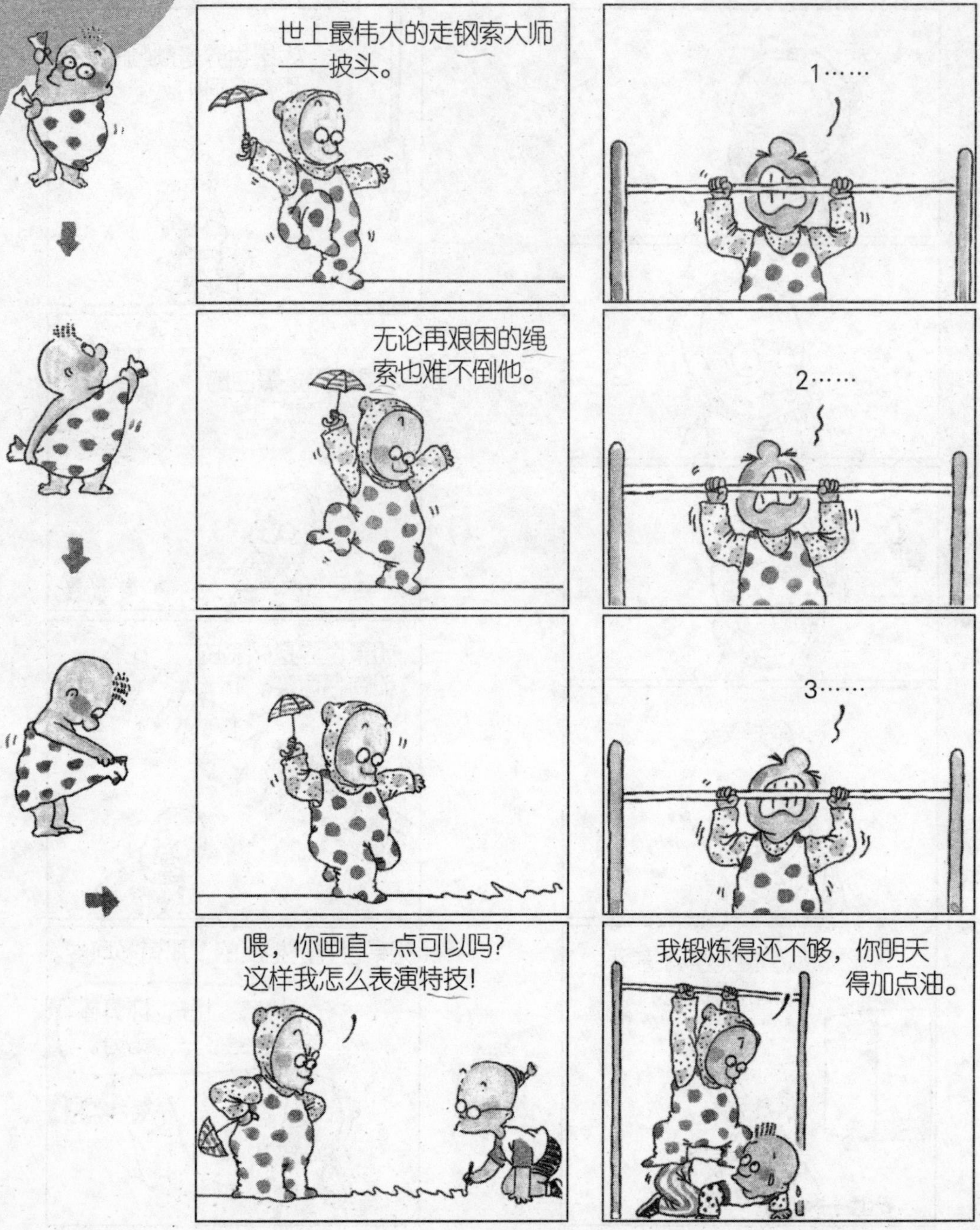
世上最伟大的走钢索大师——披头。
无论再艰困的绳索也难不倒他。
喂，你画直一点可以吗？这样我怎么表演特技！
1……
2……
3……
我锻炼得还不够，你明天得加点油。

最近心算学得如何?
65994276×47918796
=5377629947。
哇，真了不起!
谁知道算得对不对，不过能说出这么一串数字就已经够令自己佩服了。

本社区独一无二的回音巷，要不要试试?
回音巷
一次3元
一次3元，不灵不要钱。
不必了，我家也有。
我妈说的每一句话，我老爸都会复诵一遍。

大人小孩呸

●天使分淘气天使、贪吃天使、护身天使、节日天使、幸运天使。

但大部分孩子一生只会碰到一个天使——天天支使你的妈妈。

●如果小孩是天使，大人就是凡人——烦人的烦。

我最美。
我最美。
回音巷
一次3元
我考第一名。
我考第一名。
回音巷
一次3元
我爱五毛。
我不爱宝儿。
回音巷
一次3元
喂，回音巷生意不好做，你要敬业一点！

嗨，我的绰号叫“讨厌”。
为什么叫“讨厌”？
讨厌！

你只有一个杯子可投，不好玩。
这个死小孩……

你在射什么？
小鸟。
老师说要爱护小动物。
打下来才能爱护它呀。

大人小孩呸

- 小孩装大人的模样很可爱，大人装小孩的模样很可怕。
- 小孩装大人模样时必有诈，大人装小孩模样时必有病。
- 虚伪的小孩和不虚伪的大人同样让人受不了。

大人小孩呸

●小孩的世界让人想玩，
大人的世界让人想逃。

●大人每天多认识一些别人，
小孩每天多认识一些自己。

●小孩希望快点长大，这样才能明白大人有多蠢。

你在干嘛?
跟时间赛跑。
谁赢了?
谈不上赢，现在只能先把时间搞昏。
根据研究，当速度快到某个程度时，时间就会不存在。
没错，时间真的不存在了，你的表报销了……

闪电出现最频繁的是什么时候？
在夏天午后。
不对。
在高山顶上。
不对。
在恐怖电影里。

我想做蜘蛛人！
不可能。
我想做超人！
不可能。
我想做隐形人！
有可能，大部分人根本无视小孩的存在。

大人小孩呸

● 大人分有钱和没有钱的两种。小孩分父母有钱和父母没钱两种。

● 小孩爱问：『为什么我大人常问：』我为了什么？

● 小孩是最富有勇气的，因为他们知道害怕。

大人小孩呸

●小孩让大人最吃不消的是：他们一切率性而为，没有任何计划。

●大人让小孩最吃不消的是整套的人生规划。在哪儿跌倒就在哪儿爬起的这句名言只适用于儿童。

啊！你把我的厨房踩坏了！
哇，你把我做的麻辣火锅踩扁了！
呀，你把我给 BABY 的燕麦粥踩脏了！
再也没有比玩家家酒的女生更神经质的……
你背上有只毛毛虫。
咚
你背上有毛毛虫又不关我的事！
对呀，既然不关你的事，你干嘛要告诉我！

大人小孩呸

小孩用屁股放屁，大人用嘴巴。

大人常教导小孩别撒谎，但做最多撒谎示范的也是大人。

小孩说谎并不是因为有很好的记忆力，而是因为有很好的创造力。

我刚作好一首诗：“床前明月光，疑是地上霜。举头望明月，低头思故乡。”
大家都知道这是李白作的诗呀!
大家都知道又有什么关系，李白不知道就行了。
你们要不要听我作的即兴诗?
阳光、露水、春风，甲虫、蟑螂、蚯蚓……
雷雨、花香、蚊子……
……五毛、宝儿、睡着……

大人小孩呸

● 小孩是即将被毁坏的大人，
大人是已经被毁坏的小孩。
● 小孩的脑袋像迷宫，绕来绕去有着各种可能。
大人的脑袋像泥沼，除了原地踏步还会使人往下沉。

我要作一首即兴诗，“春天暖了，夏天热了，秋天凉了，冬天冷了。”
别吵了，明天要考试。
“春天暖了，夏天热了，秋天凉了，冬天冷了，明天惨了。”
喂，警察伯伯吗？我要报案。
明天我家可能会发生凶杀案。
你问为什么会是明天吗？
因为明天是我发成绩单的日子。

好吧，我承认这是我考的成绩。
考零分还笑得这么开心!
刚开始很难过，但渐渐地就习惯了。
刚开始很痛，但渐渐地就习惯了。

大人小孩呸

●别人的玩具都比你的新，
别人的糖果也比你的甜，
别人的父母当然一定比你自己的好了。

●小孩应付外面世界的一个法宝就是撒谎——大人何尝不是？

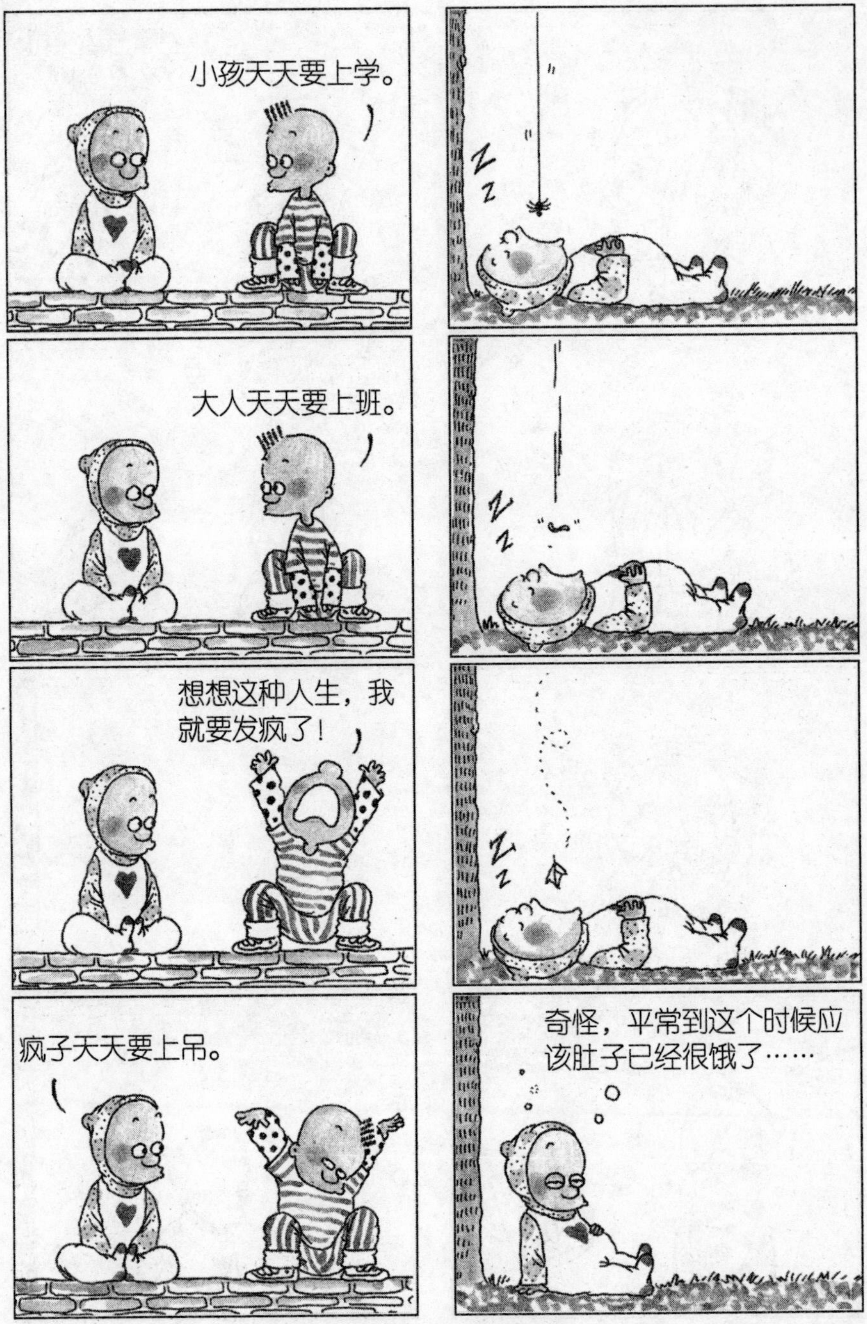

小孩天天要上学。
大人天天要上班。
想想这种人生，我就要发疯了！
疯子天天要上吊。
奇怪，平常到这个时候应该肚子已经很饿了……

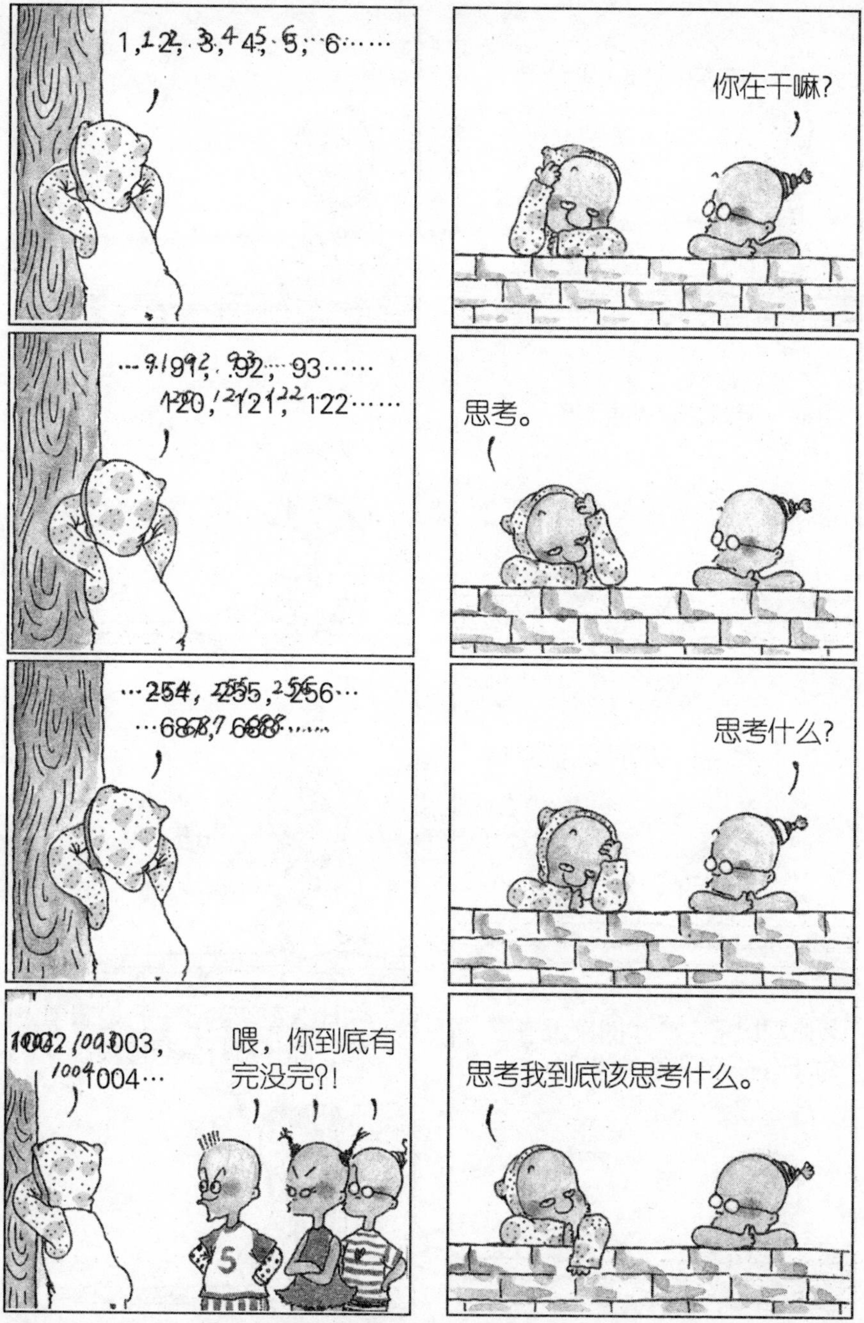
1, 2, 3, 4, 5, 6……
…91, 92, 93……
120, 121, 122……
…254, 255, 256…
…687, 688……
1002, 1003,
1004…
喂，你到底有完没完?!
你在干嘛?
思考。
思考什么?
思考我到底该思考什么。

为什么一天只有 24 小时?
如果一天有 25 小时就好了。
多一小时又怎么样?
我就可以多一个小时来思考
为什么一天只有 24 小时。
咕
为什么每次脑子一开始想事
情，肚子就开始想食物?

最后这部分应该
是大人的梦境。
我正在练习当一个能变出
很多很多食物的魔法师。
你练到什么阶段了?
谁把冰箱里的东西都吃光了!
我目前只到把很多很多
食物变不见的阶段。

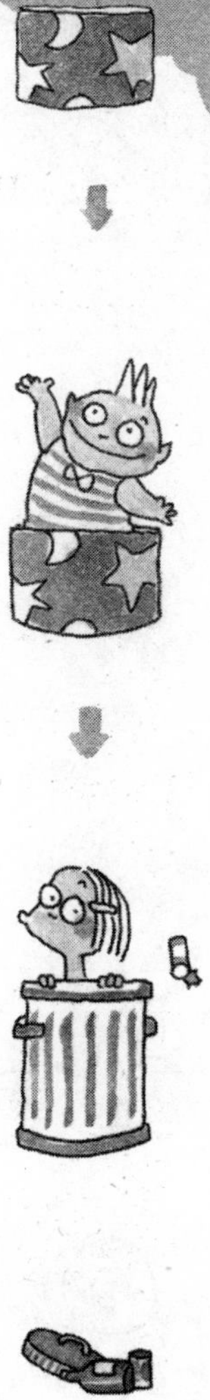

哈，你输了。
不玩了！
哈，你还是输了。

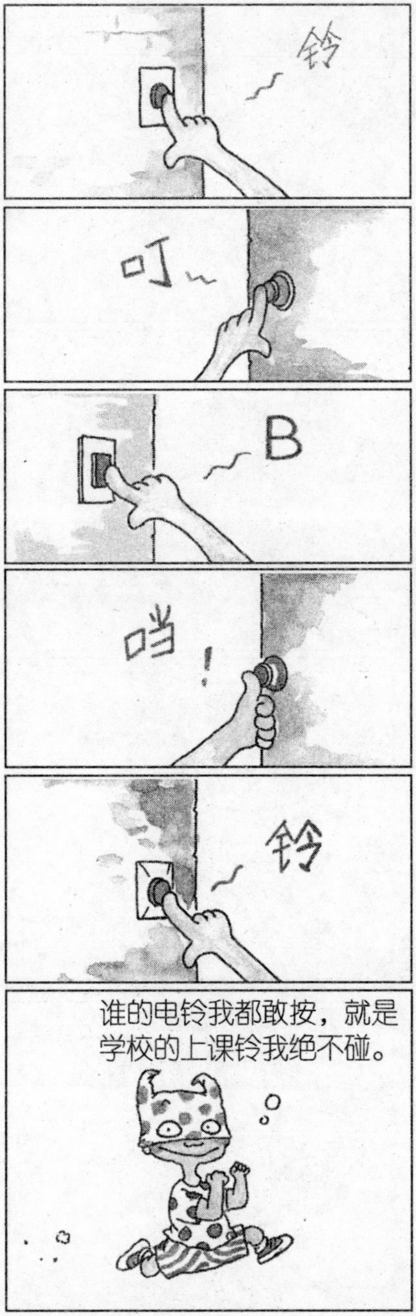
铃
叮
B
!
铃
谁的电铃我都敢按，就是学校的上课铃我绝不碰。

原来是你们这两个小鬼乱按我家电铃!
不是我按的。
我明明看见你们按的!
你要有科学精神，不要太相信眼睛看到的事情。

原来伟人小时候并不伟大。
名人小时候也不有名。
坏人小时候也并不坏。
怪不得没有小孩写回忆录。

大人小孩呸

● 儿童排队好玩定律：

(1) 别排短的队伍，人少的地方一定不好玩。

(2) 别排长的队伍，人多的地方好东西一定先被抢光。

(3) 别排在大个子小孩前面，他随时能插你的队。

世界末日不晓得是什么样子？
一团混乱，尖叫声、哭闹声，此起彼落。
我还是不太能想象那种情形。
我妈下回量体重时，你留意一下。
啊!
呀
哇
妈，我已经帮你叫过了，等一下你可以省省了。

那天我偷吸了一口爸爸的香烟。
经历了一场你们小孩无法想象的死亡恐惧。
只吸一口烟不会死的。
但被老爸发现就会了。

我爸妈一直希望我是男生。
我爸妈一直希望我是女生。
你呢?
我爸妈一直希望我没生。

大人小孩呸

(4)不管你多么精心挑选队伍，另一排一定动得比较快。

(5)当你改变主意转到另一排队伍后，你原来那排速度会突然加快。

(6)快轮到你之前，老师一定会来找你要你脱队。

大人小孩呸

● 贪吃鬼贪吃小秘笈：

(1) 先吃好吃的，难吃的食物永远剩得比较多。

(2) 先吃容易咽的，这样才能在最短时间塞下最多食物。

(3) 别坐在吨位比你大的小孩旁边，他吃不够时会接

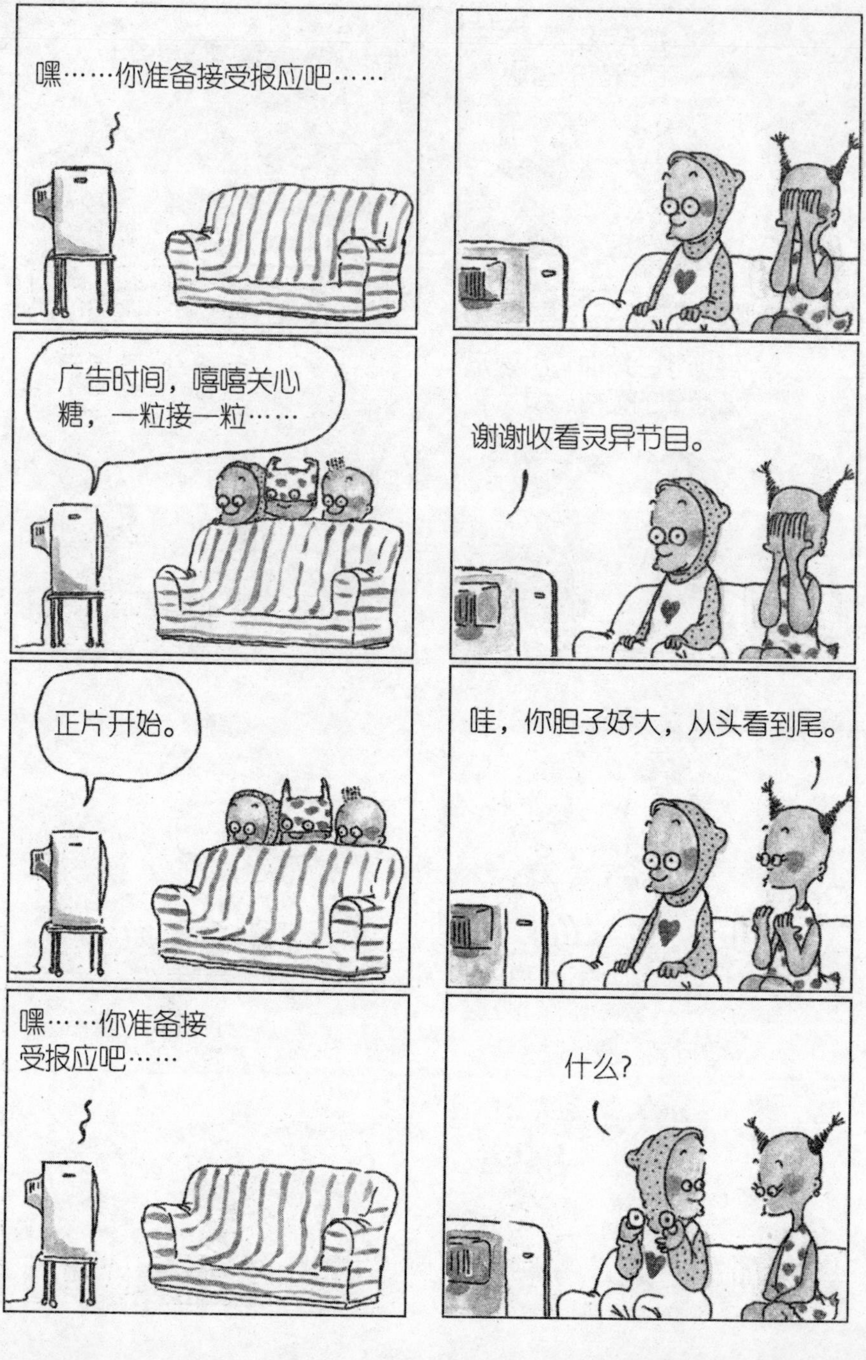
嘿……你准备接受报应吧……
广告时间，嘻嘻关心糖，一粒接一粒……
正片开始。
嘿……你准备接受报应吧……
谢谢收看灵异节目。
哇，你胆子好大，从头看到尾。
什么？

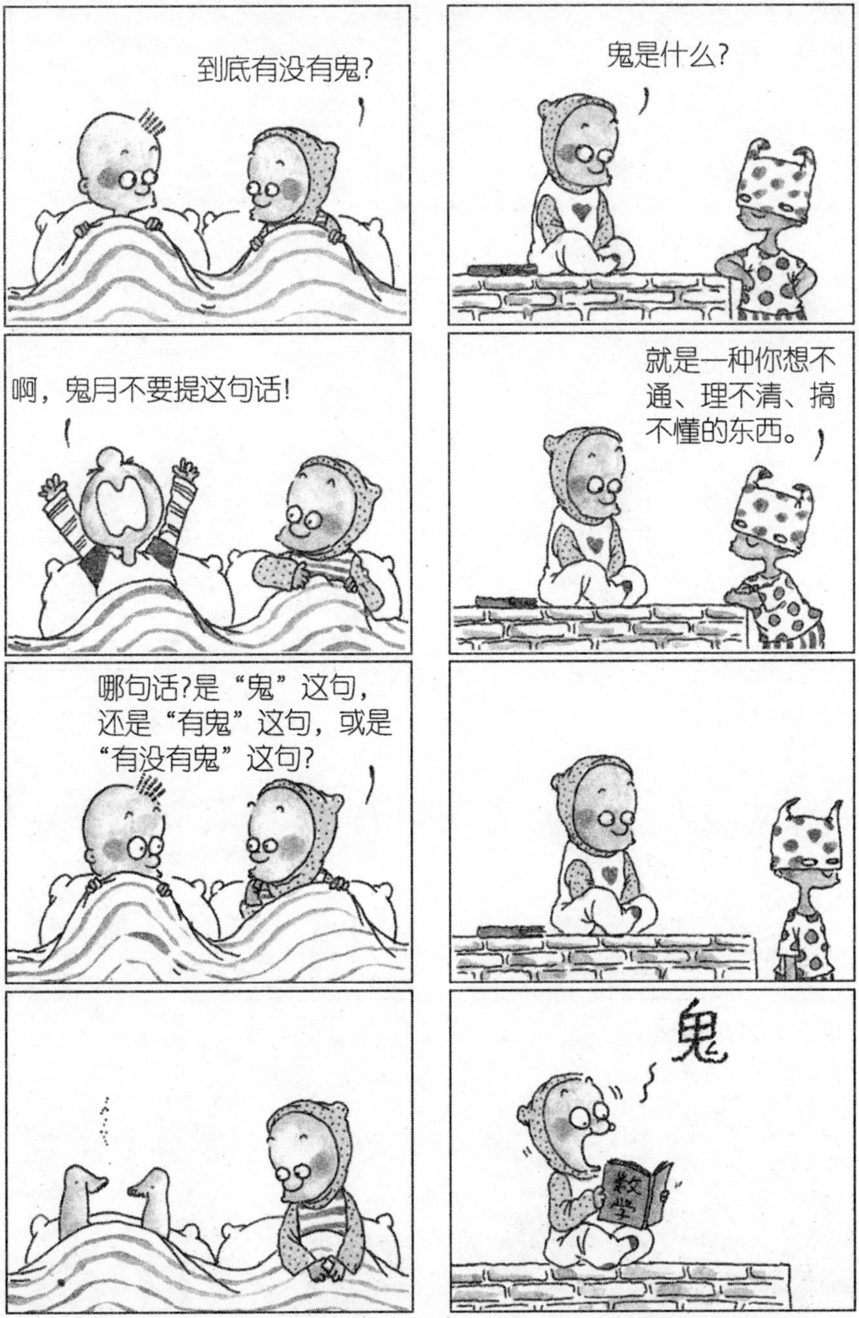

到底有没有鬼?
啊，鬼月不要提这句话!
哪句话?是“鬼”这句，还是“有鬼”这句，或是“有没有鬼”这句?
鬼是什么?
就是一种你想不通、理不清、搞不懂的东西。
鬼
数学

大人小孩呸

着吃你的。

(4)吃之前先弄清楚要不要钱。

(5)只要一直不停地吃下去，你就会吃最多。

● 小孩说小谎，大人说大谎，不大不小的人每天被小谎大谎支配。

大人小孩呸

糖果秘密定律：

(1)愈便宜的糖果愈好吃。

(2)你嘴里牙齿数目和你吃的糖果成反比。

(3)牙疼那一天，你得到糖果的几率最大。

(4)别人嘴里的糖一定比你嘴里的甜。

世上为什么有鬼?
这还不简单，有人就有鬼，有鬼就有神。
那有神就有什么?
就有神经病。
这个月不能提×这个字。
这×字是不是就是我的△字?
我不晓得你的△字跟我的×字是不是同样意思?
只要你的×字跟他的。字是同样意思，那就跟我的△字一样意思。
唉，弄了半天，其实大家避免的就是直接说“鬼”这个字。

讨厌鬼！
小气鬼！
好吃鬼！
贪心鬼！
你们在吵什么?!
没什么，我们只是在吵
世上到底有没有鬼?

哇，写真集好好看。
大人说小孩不
能看这种书！
我现在是大人了。

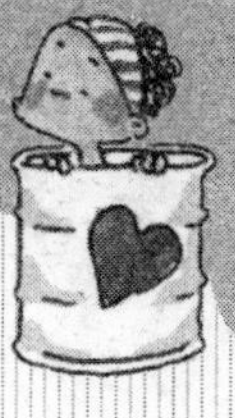

大人小孩呸

(5)同样的糖，别人拿到的就是比你的大。

如果你的比较大，糖果比你小的小孩块头

(6)定比你大，后果请自己想象。

● 儿童玩具七大烦恼：

(1)你拥有的玩具不是你要的。

大人小孩呸

(2)别人的玩具永远比你的好玩比你的新颖。
(3)喜欢的玩具永远买不起。
(4)愈不喜欢的玩具愈坚固。
(5)好不容易拥有想要的玩具，则款式早已过时。
(6)愈贵的玩具愈容易出故障。

哦，好帅……
真搞不懂这些男艺人怎么一点都不像男人。
真搞不懂这些女生怎么一点也不像女生……

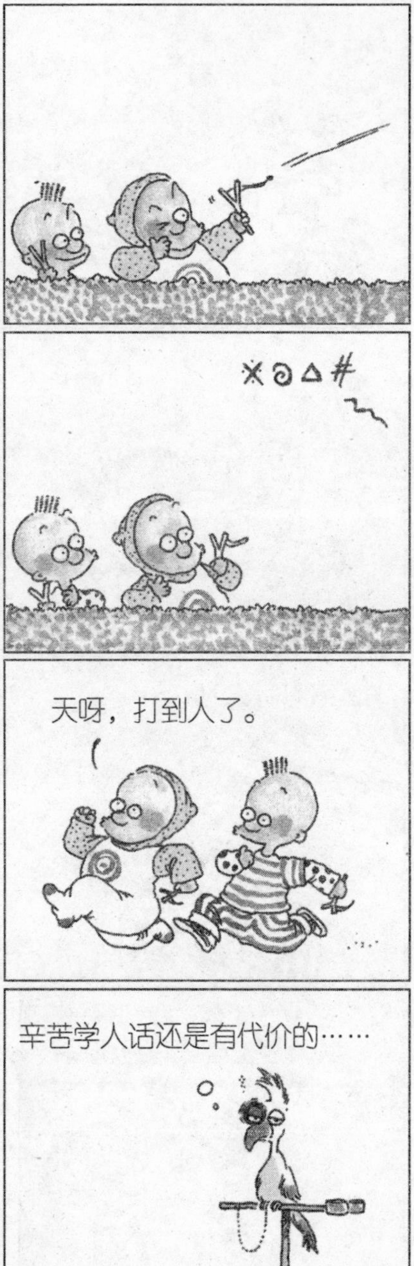
天呀，打到人了。
辛苦学人话还是有代价的……

不晓得谁会收到我的情书?
不管是谁收到，相信都会觉得很温暖。
这个新鸟窝好温暖。
美女亲我一下，我就会变回王子。
你骗人!你根，本不是王子!
你也骗人，你根本不是美女!

大人小孩呸

(7)出故障时父母绝不会怪罪玩具，只会怪罪你。

● 小孩都有邪恶的一面，只是他们会用可爱来掩饰。

● 大人要加班，小孩要补习，天啊：这是什么世界!

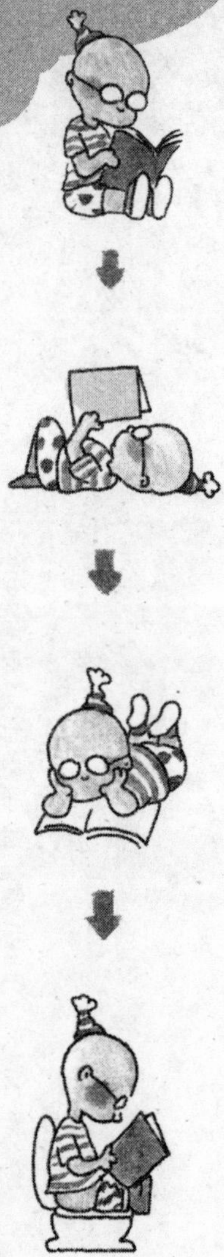

亲我一下，我就
会变成王子。
我特地来吻你，
让你变回王子。
你怎么还没
变成王子?
我们都被童话
故事骗了。
也许下回应该先接吻
再吃小虫……

有只臭青蛙骗了我的初吻。
什么，你也被骗？
我也是！
唉，难道童话故事专门骗我们小女生吗……
吻我一下，我就会变回王子。
你为什么不吻我？
会说话的青蛙比会说话的王子值钱多了。

如果全世界的玩具都是我的玩具，那该有多棒！

快乐小精灵定律：

每天都是快乐的一天，每分钟都是快乐的一刹那，每件事都是快乐的一次经验。

这个世界真的是让你睁开眼睛就那么快乐。如果你忘记了，赶紧闭上眼睛，再睁开一次。

伤心小精灵定律：

我的眼泪最多了，我的哭声最快了，我伤心起来最专心了。

前一秒钟还在笑，后一秒钟我就哭了。

前一秒钟还在哭，后一秒钟我又忘了。

无聊小精灵定律：

你说这个世界很无聊？没错，每件事都很无聊。可是我好喜欢做每件无聊的事，管它有多无聊，所以这个世界怎么会无聊呢？

脏脏小精灵定律：

爸爸说这个好脏，妈妈说那个好脏。婆婆说这样最脏了，姐姐说那样最脏了。其实每个东西都好好玩。脏和不脏我都一样开心。到底怎么样才算脏呢？

谁干的？

我说不是我干的，他说不是他干的，你说不是你干的，
但老师说一定是其中一个人干的！
到底是其中哪一个干的？
他说不是他干的，你还是说不是你干的，我当然说不是我干的。

到底是小孩属于小精灵？还是小精灵属于小孩？谁也不知道。我们只知道小精灵和小孩之间，有一堆共同定律：

坏坏小精灵定律：

大家都不知道，这个世界上每样东西都是该拿来破坏的，只有我知道。如果不破坏，迟早有一天它还是会坏的。所以要靠我先把它弄坏呀。你说对不对？

梦幻小精灵定律：

每个白天的真实和每个夜晚的梦幻，加起来才是属于我们自己的童话故事。这件事小孩才懂。只有大人会叫我们把梦幻和真实分清楚，那我们的故事就会愈来愈少了，怎么办呢？

懒惰小精灵定律：

世界上最舒服的事，就是什么都不做。世界上最好玩的事，就是什么都不做。世界上最重要的事，就是什么都不做。

勤劳小精灵定律：

我擦这边，我洗那边，我整一整，我叠一叠。我整天都在忙，忙着帮大人的忙，一直到大人说：你愈帮愈忙，愈忙愈帮。

软软小精灵定律：

我全身都软软软，我玩游戏也软软软，我交朋友也软软软。

我软得像棉花糖，我软得像甜果冻。我软得像冰淇淋。

我看世界没有对和错，没有黑和白。这样也可以，那样也好玩。为什么他们大人不懂得这么多软软软呢？

疯狂小精灵定律：

如果不开玩笑，这个世界还需要小孩吗，如果不恶作剧，这个世界还需要游戏吗，真正的疯狂。只有我们懂得。没有界线，只有想象，就像在白云上打滚，在露珠里跳舞。你也来吧。

排队

从东排到西，从早排到晚，从热排到凉。
排队为了什么?为了什么排队?整天就是排队。

贪吃小精灵定律：

我的嘴巴是用来吃好吃东西的，
我的鼻子是用来闻好香食物的。
我的耳朵是用来听碗盘叮当响的，
我的眼睛是用来看冰淇淋和糖果的，
我的屁股是用来吃太多以后给大人打的！

动动小精灵定律：

我每分钟都在动，我每秒钟都在动，我睡觉起来都在动。
听说八个足球前锋接力都比不上我，听说十个棒球队口贝滑垒都挡不住我。
能不能不要一天到晚动来动去，等我长大就不会了。

3 自己在家里

妈呀，下次再也不敢过生日了……

有的小孩以为世界是扁的，
有的小孩以为世界是方的，
有的小孩以为世界是尖的，
其实，世界是大人的。

一岁的我……
三岁的我……
五岁的我……
现在的我……
同学面前……
老师面前……
父母面前……
自己面前……

一辈子活在树上也不错。
一辈子活在坑里也不错。
一辈子活在水里也不错。
在哪里都比一辈子只能活在父母期望里好。
这不是我要的玩具。
这不是我要的食物。
这不是我要的生活。
这不是我要的父母。

去写功课。
不!
我不想再用中国传统
那套命令强迫法了。
我们用西方自动自发的
教育方式，好不好?
好呀。
去写功课。
NO!
妈，什么是同情心?
就是当别人遭遇不如意时，
所给予的一种情绪支持。
我懂了，这是
我的成绩单。
同情心!别忘了，
同情心。

我妈说我常常会说出我这个年龄不该说出的话。
我妈也常常这么说我。
快回家写功课，不然就揍死你!
她们大人也常说出她们那个年龄不该说出的话。
爸妈早。

绝对父母EQ

● 父母都希望自己的孩子将来像某人：孩子却只希望自己将来别像父母。

● 每个父母都觉得自己的小孩是最好的，所以学校发明考试来选出真正最好的。

● 小孩出生前让妈妈肚子痛，出生后让妈妈头痛。

快去写功课，读英语!
我的童年只有一次，
请别管我!
我的中年也只有一次，
请别让我管你!
爸，世上是不是有许多巧合?
没错，确实是有许多不可
思议也无法解释的巧合。
那就对了。
我的名字正巧和我的分
数在同一张成绩单上。
39

曾曾祖父有打过
曾祖父吗？
有。
曾祖父有打过祖父吗？
有。
祖父有打过你吗？
有。
唉，老爸，这样一代代
打下去不是办法。
39

五毛，你看电视
看太久了。
5
我在做一个实验。
5
如果我一直看下去，到底是会把
眼睛搞坏，还是把电视机搞坏。
5
都不会，你只会把
我的脾气搞坏。
5

绝对父母EQ

● 小孩只做两件事：让自己发笑和让父母发疯。

● 父母喜欢让小孩去上学，并不是因为这样能学习到，而是因为这样小孩就不会来烦他们了。

● 妈妈、永远认为自己的小孩比人家的有才华，爸爸永远担心自己的小孩比不过人家的小孩。

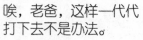

● 所谓快乐度假，就是不带小孩或是父母。

● 小孩善于从错误中学习，所以父母是他们的最佳学习榜样。

● 发成绩单时，父母希望自己的小孩 I Q 要好，小孩只希望自己的父母 E Q 要更好。

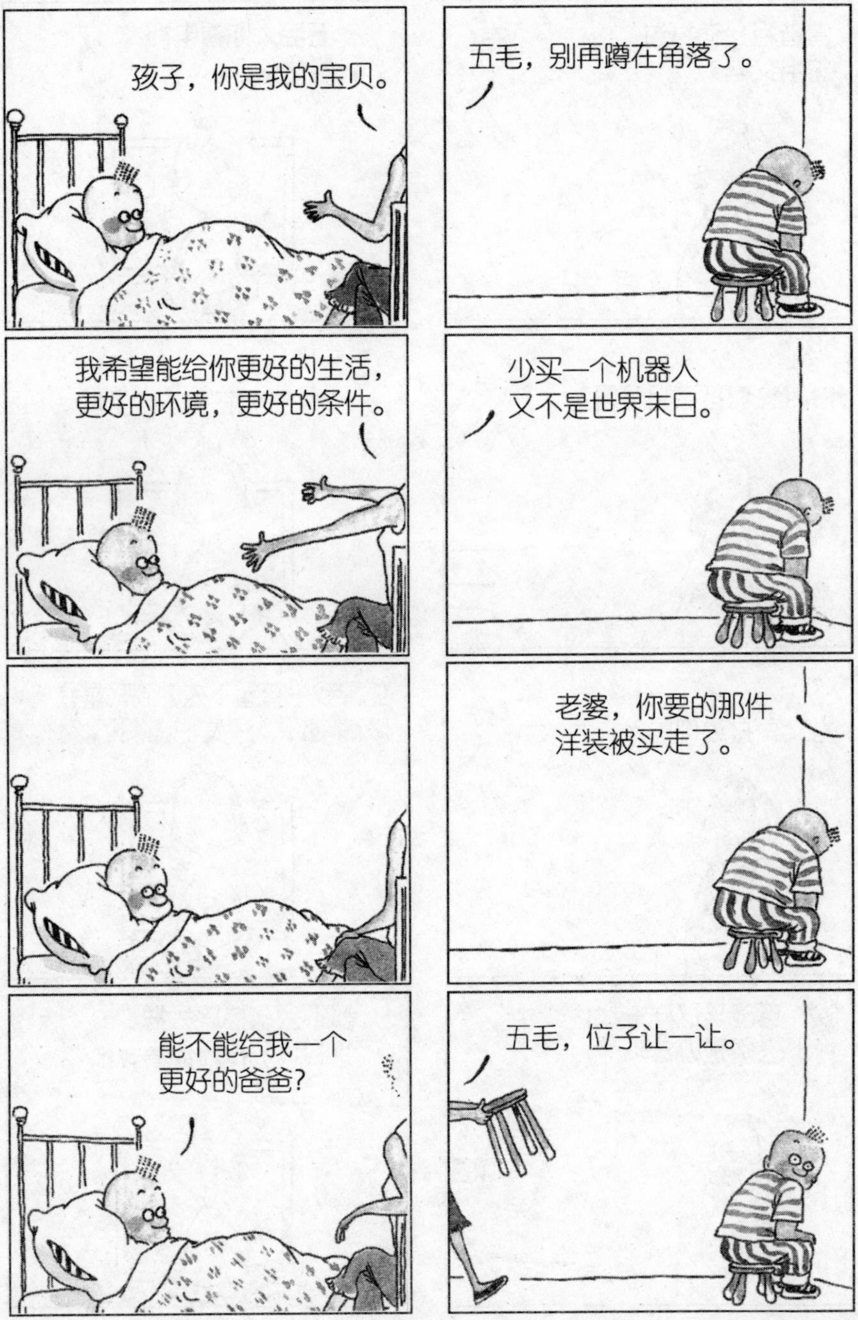
孩子，你是我的宝贝。
我希望能给你更好的生活，更好的环境，更好的条件。
能不能给我一个更好的爸爸？
五毛，别再蹲在角落了。
少买一个机器人又不是世界末日。
老婆，你要的那件洋装被买走了。
五毛，位子让一让。

绝对父母EQ

●父母希望自己的小孩IQ二百五十，这样的小孩长大后会比任何小孩都提早明白自己的父母其实是二百五。

●一父母：下次考试，希望成绩能更好。
小孩：下次投胎，希望父母能更好。

五毛，你看电影里那个小孩多善解人意。
如果你付给我一样的片酬，我也可以很善解人意。
The End.
不准看电视!
让电视看我行不行?

绝对父母EQ

● 小孩永远不会觉得无聊，他们只会觉得父母很无聊。

● 现代父母都太忙了，往往无暇陪小孩，所以小孩长大后也往往无暇陪父母。

● 欠缺管教小孩的家庭是动物园。充分管教小孩的家庭是马戏团。

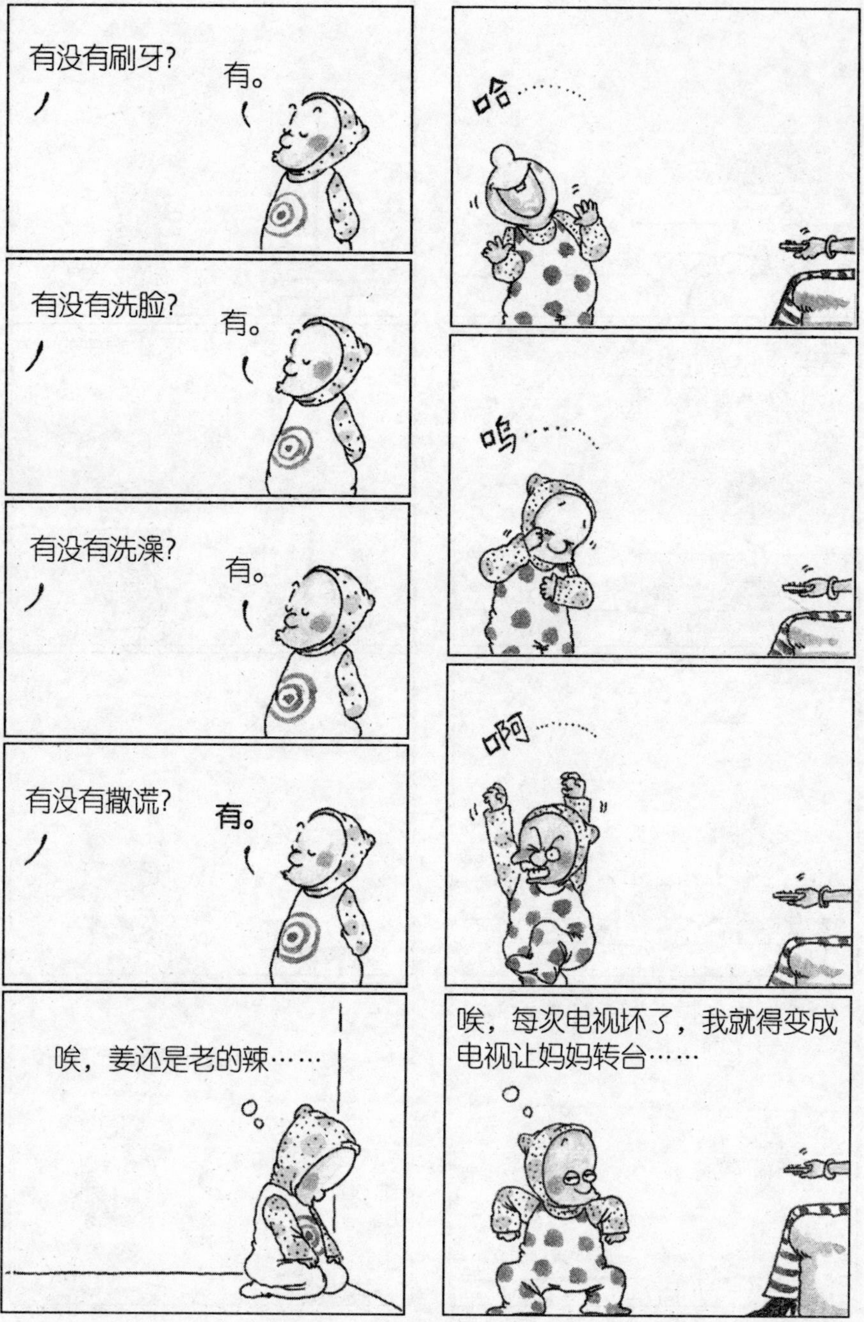
有没有刷牙?
有。
有没有洗脸?
有。
有没有洗澡?
有。
有没有撒谎?
有。
唉，姜还是老的辣……
哈……
呜……
啊……
唉，每次电视坏了，我就得变成电视让妈妈转台……

如果长针转一圈，
一小时就没有了。
如果短针转一圈，
一天就没有了。
我的零用钱没有了。

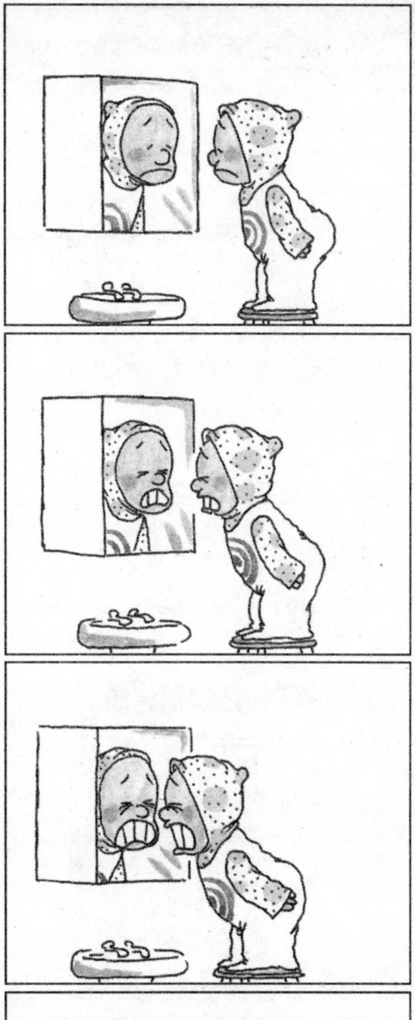
妈，加我零用钱……

绝对父母EQ

● 小孩最爱问：『为什么?』
父母最爱答：『你不懂！』
老师最爱说：『去念书！』

● 所谓遗传，就是考零分时孩子和父母会同时想到的东西。

绝对父母EQ

有的孩子像爸爸，这是光荣的。
有的孩子像妈妈，这是幸福的。
有的爸妈像孩子，这是最惨的。
小孩心里有十万个为什么，包括：为什么不能选择自己的父母？

唉，小伟被他妈罚站……
唉，宝儿被她爸罚抄课文……
哗，丽子被她妈罚扫地……
哈，我爸又被我妈罚跪了！
喂，请问你爸妈在吗？
你是小偷还是爸妈的朋友？
什么意思？
如果是朋友，那他们就不在家。
如果是小偷，那我爸妈都在家。

你有听过“放羊的孩子”的故事吗?
没有。
不过“放羊的爸爸”的故事倒是听了不少。

天呀，我的客厅墙壁!

绝对父母EQ

● 父母常告诫小孩要好好读书，免得长大后别无选择。其实很多好好读书的小孩长大以后也没多少选择。

● 用功和聪明的差别是：父母想怪罪小孩时会说是不用功，小孩则会推到不聪明。

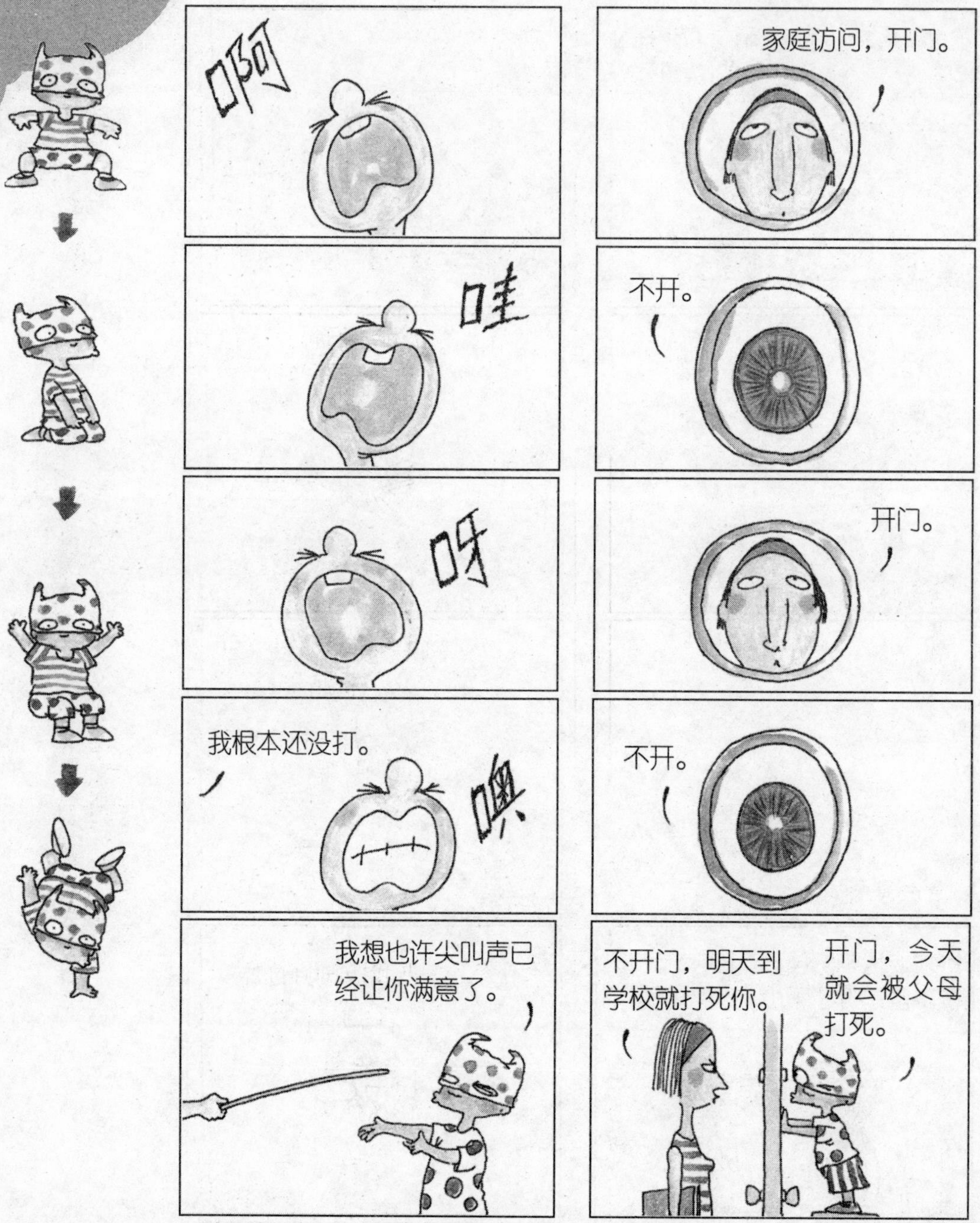
啊
哇
呀
我根本还没打。
噢
我想也许尖叫声已经让你满意了。
家庭访问，开门。
不开。
开门。
不开。
不开门，明天到学校就打死你。
开门，今天就会被父母打死。

你为什么整
天戴头套?
有其父必有其子。
什么意思?
BANK
诵诵不许动!

今天要考试，
我都没念书。
你别担心，一定
会考得很好。
你超聪明的。
我老爸老妈要我抄聪明的。

你在躲谁?
老师。
老爸，你呢?
警察。
老妈，你呢?
讨债公司。
在我们家，谁该掩护谁
一直都是个问题。
我们是贵族世家，我是贵族爸爸，她是贵族妈妈，你是贵族小孩。
我们住的是贵族住宅，用的是贵族用品，交的是贵族朋友，我们的一切都要贵族化。
有一只贵族苍蝇在
我的贵族浓汤里!

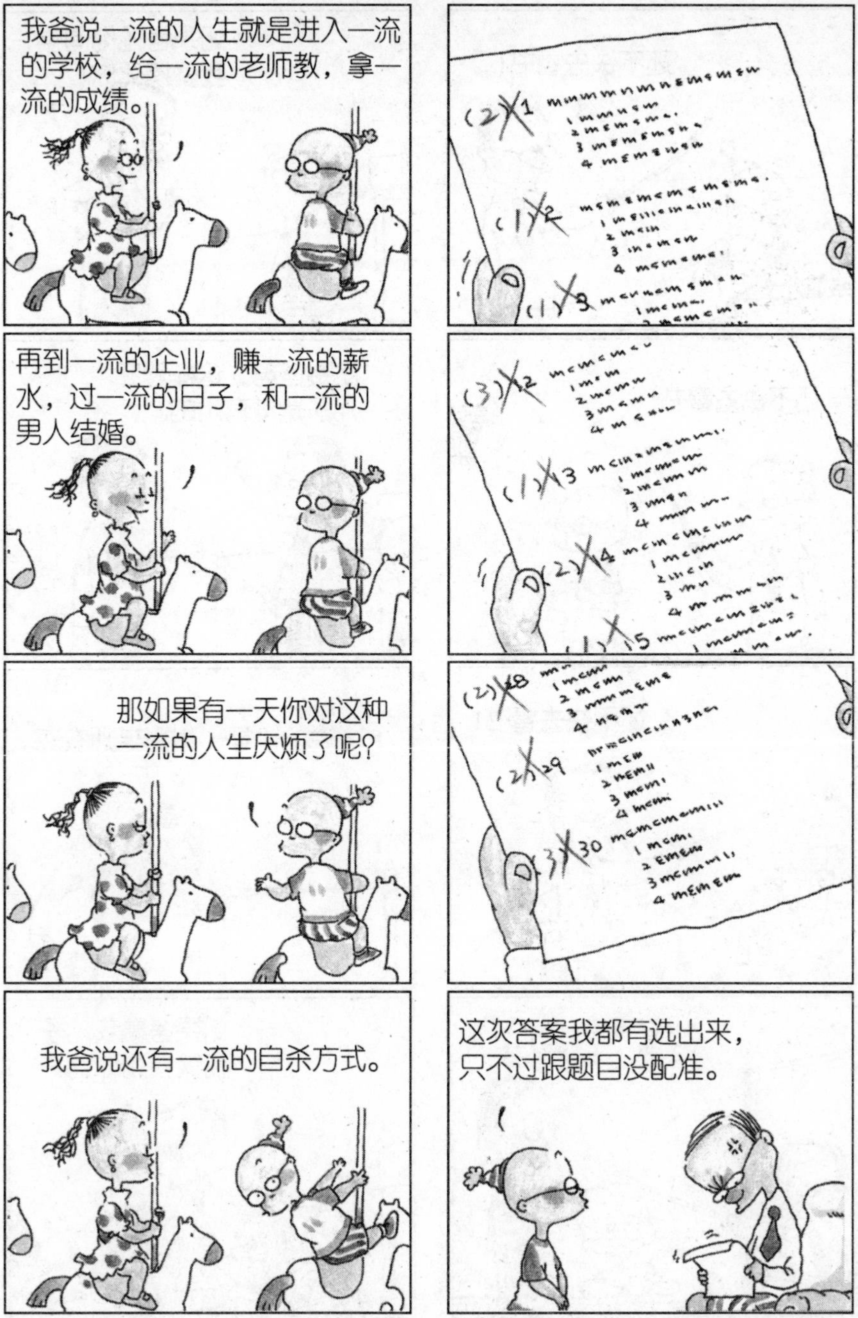
我爸说一流的人生就是进入一流的学校，给一流的老师教，拿一流的成绩。
再到一流的企业，赚一流的薪水，过一流的日子，和一流的男人结婚。
那如果有一天你对这种一流的人生厌烦了呢？
我爸说还有一流的自杀方式。
这次答案我都有选出来，只不过跟题目没配准。

绝对父母EQ

●忍耐的美德人人需要，尤其是有小孩的人。

●孩子永远在你希望他别吵时吵，在你接受他吵时安静。

●父母带小孩去看马戏团的目的就是告诫孩子：连狮子老虎都这么听话，为什么你不能？

还不快去看书！
还不快去看书！
还不快去看书！
比赛爸爸，现在在考试，不能看书。
如果考输你同学，我就揍死你！
比赛爸爸，这样恐吓儿子是没有用的。
说的也是，谢谢老师教诲。
如果考赢我儿子，我就揍死你们！！

怎么了？
演讲比赛第二名。
天呀，拿第二名还被罚，做比赛爸爸的儿子太凄惨了。
唉，做比赛妈妈的老公也好不到哪去。
儿子是怎么教的？才拿第二名！

我儿子是珠算高手。
我儿子是画家。
我儿子是音乐天才。
我儿子是跳水冠军。
我儿子是长跑健将。
我儿子是滑板选手。
我儿子是小文学家。
我儿子是小发明家。
我儿子是小科学家。
我妈是吹牛专家。

绝对父母EQ

● 世界上的动物千奇百怪，世界上的父母只有一种。
——一个孩子如是说。

● 小孩爱听鬼故事，是因为这样才能说服自己：父母还不是最可怕的。

绝对父母EQ

● 小孩喜欢装可怜，因为父母都偏爱可怜的小孩。

● 溺爱你的小孩吧，等他长大后自然会有人替你教训他。

● 记住：从小一定要养成孩子节俭的习惯，否则等他们长大后，你就养不起他们了。

呀　哇
宝贝，别这样歇斯底里。
妈咪，有毛毛虫。
呀　哇

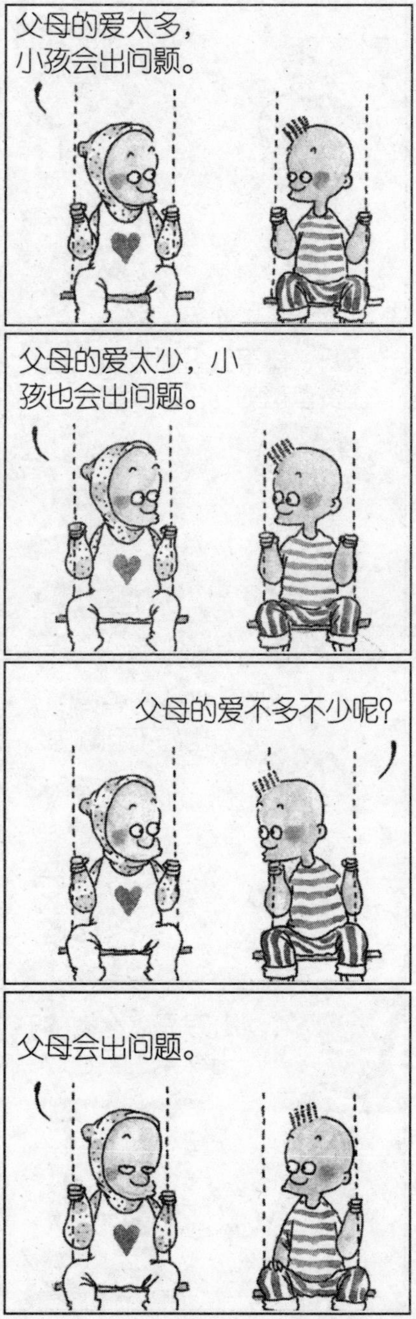

父母的爱太多，小孩会出问题。
父母的爱太少，小孩也会出问题。
父母的爱不多不少呢？
父母会出问题。

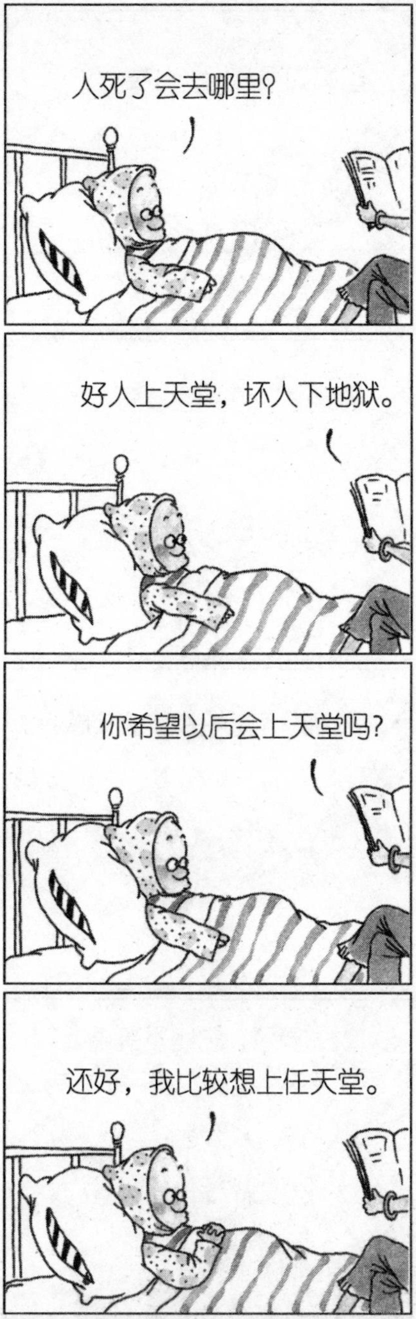
人死了会去哪里?
好人上天堂，坏人下地狱。
你希望以后会上天堂吗?
还好，我比较想上任天堂。

以下即将播出的
节目为限制级。
有暴力血腥的
不能看哦。

绝对父母EQ

● 少做少错，多做多错，不做还是你的错——一个小孩如是说。

● 孩子：什么是统计学？
爸爸：就是把你自己和别人的糖果加起来平均，然后你的还是你的，别人的还是别人的。

我爸妈上个月离婚了。
真惨。
但这个月又复合了。
真好。
上星期又闹离婚。
真糟。
昨晚好像又复合了。
真烦。
爸妈如果离婚，我要跟谁？
跟老爸，恐怕会被后母虐待。
跟老妈，恐怕会被继父虐待。
唉，算了，总比不离婚，同时被他们两个一起虐待好。

绝对父母EQ

● 孩子：什么是营养学？
妈妈：就是所有的食物扣掉你喜欢吃的部分，剩下你不喜欢吃的那部部分的菜单。

● 肥胖是现代孩子的通病，贪心是现代大人的通病。

蹲。
滚。
装死。
躺。
very good.
乖。
小孩需要宠物是因为他们可以把父母的期望转移到我们身上。

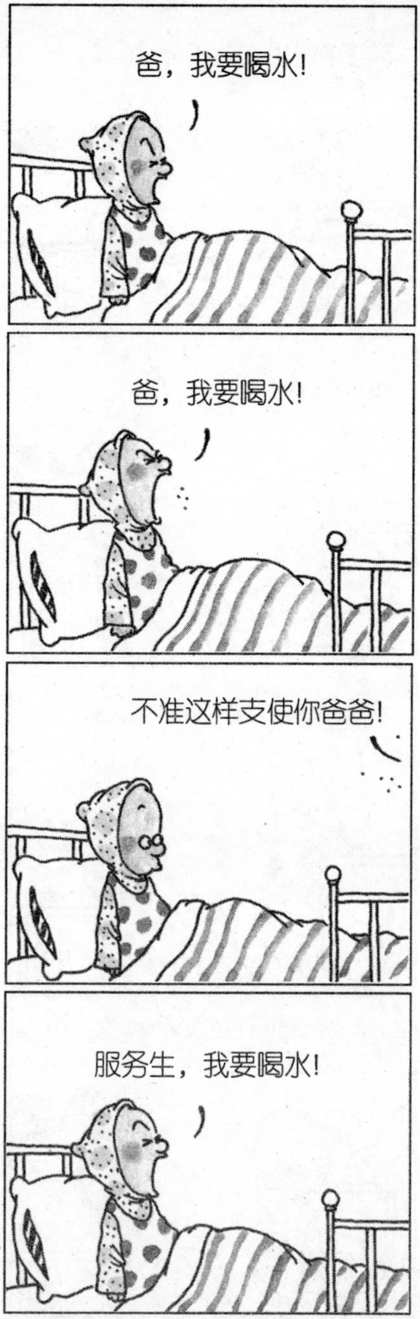
爸，我要喝水！
爸，我要喝水！
不准这样支使你爸爸！
服务生，我要喝水！

●大人习惯把自己的价值观灌输给下一代：不论他们是成功的父母或是失败的。

●有的小孩以为世界是扁的，有的小孩以为世界是方的，有的小孩以为世界是尖的。其实，世界是大人的。

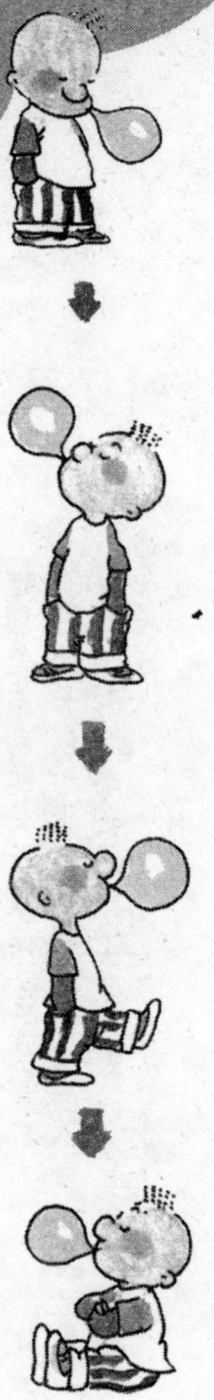

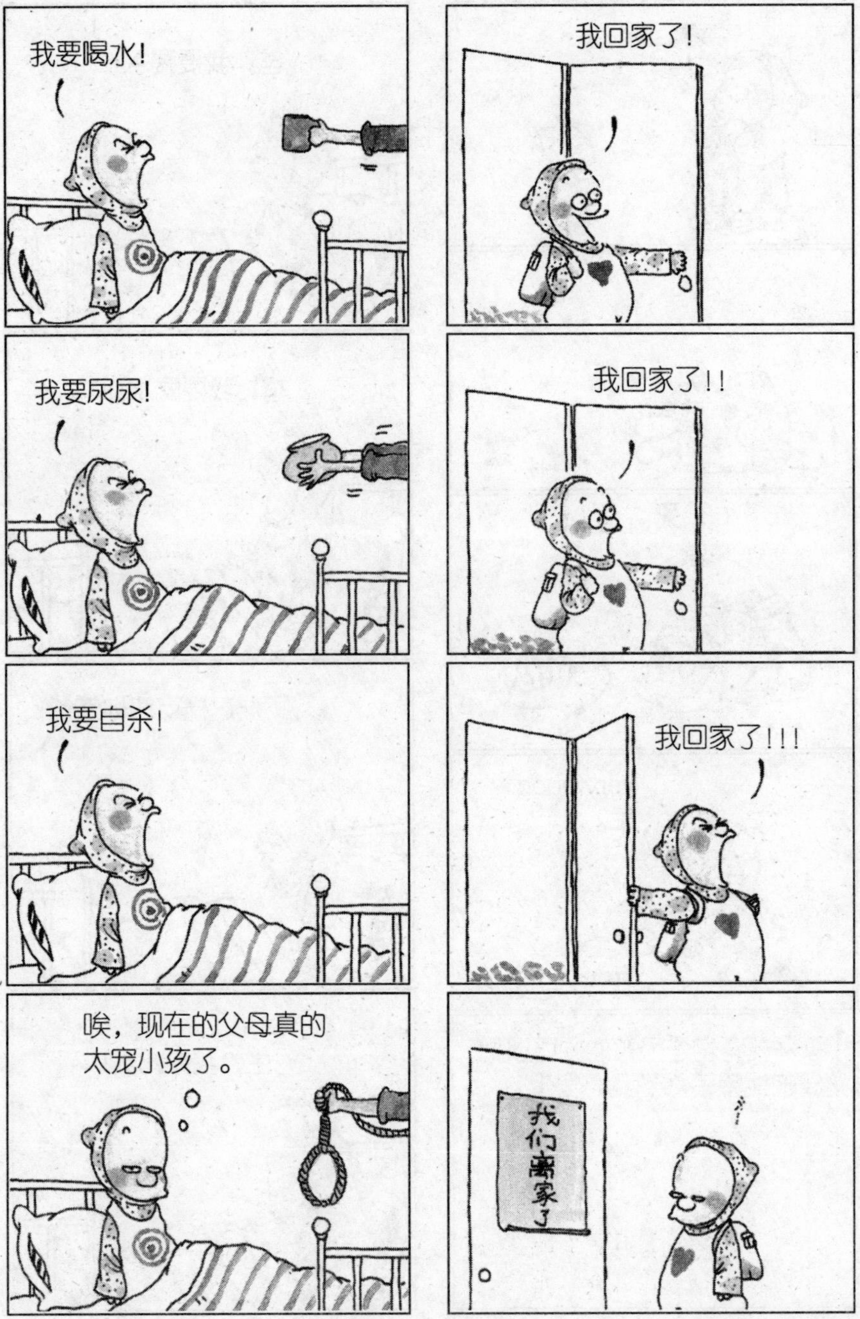

我要喝水!
我要尿尿!
我要自杀!
唉，现在的父母真的
太宠小孩了。
我回家了!
我回家了!!
我回家了!!!
我们离家了

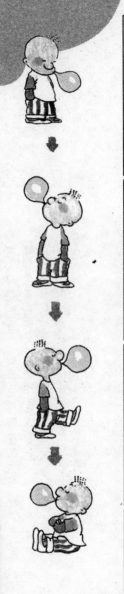

爸妈，我回家了，
我今天考试全部考0分。
哦，太好了，考0分表示并未受限于呆板的教育体系，以后的前途充满了各种可能性。
谢谢爸妈教诲，我以后会继续考鸭蛋来让您们开心。
他们什么时候离家出走回来了？
喂，我是十恶不赦的绑匪，你们宝贝儿子披头在我手上。
如果你们不付两包炸鸡，一包薯条，一杯可乐和三十元零用钱，他就死定了。
你十分钟内不回家，你也死定了！
唉，看样子小孩的智商只够唬小孩。

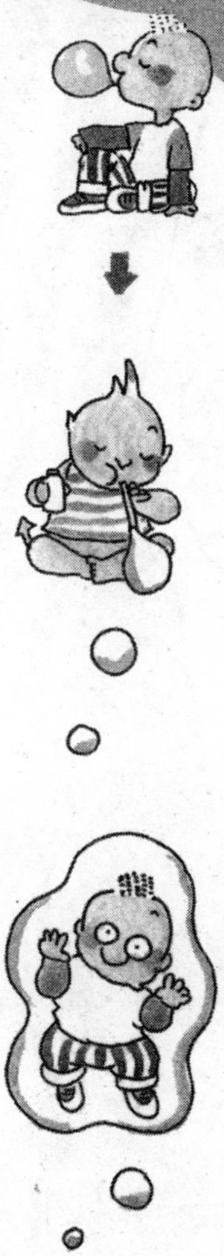

如果全世界的大人都是我的父母，那该怎么办？

4 自己在学校

原来水里有另外一个世界……

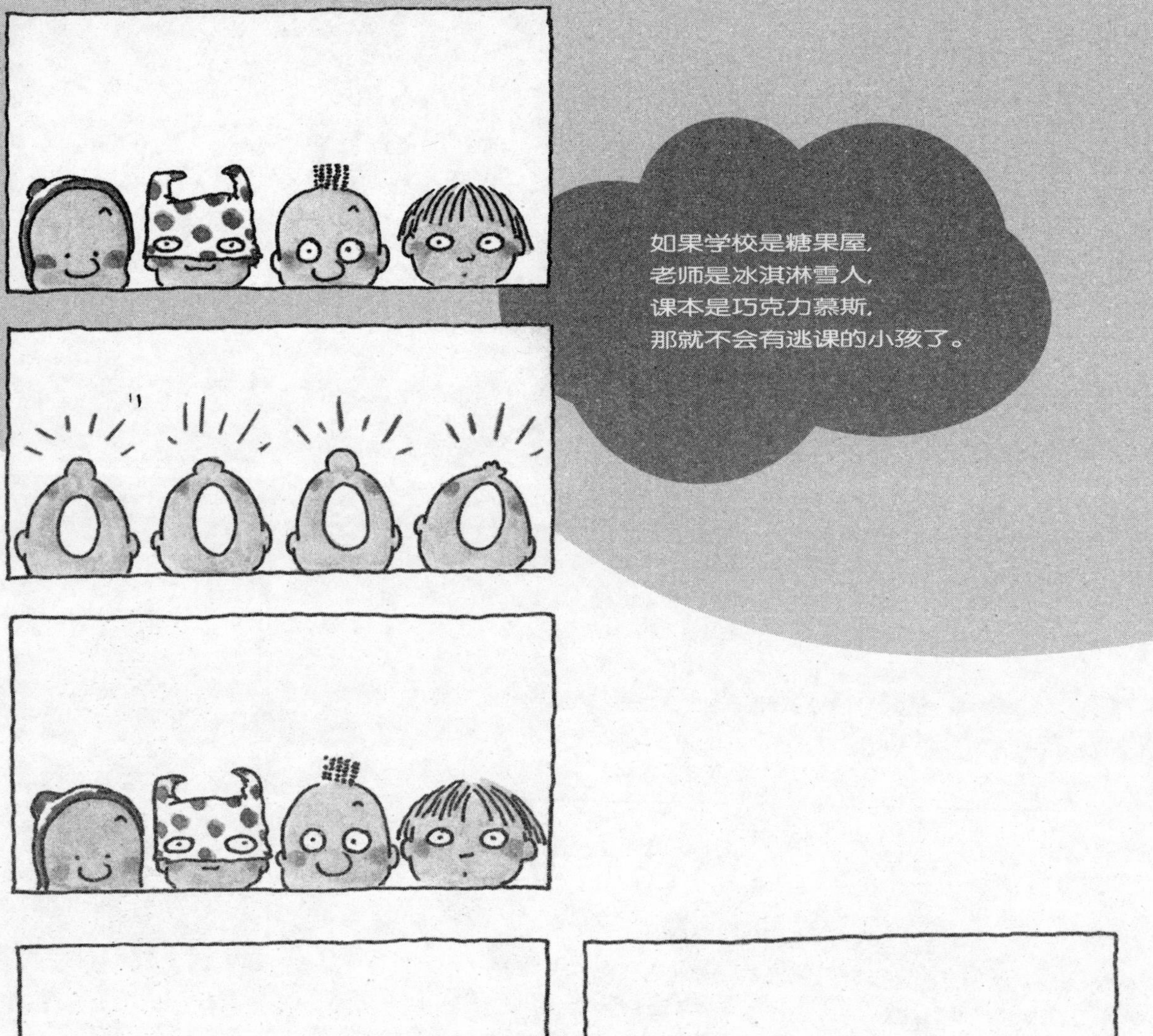
如果学校是糖果屋，
老师是冰淇淋雪人，
课本是巧克力慕斯，
那就不会有逃课的小孩了。

唉，别人一定以为我们在合唱团练唱。

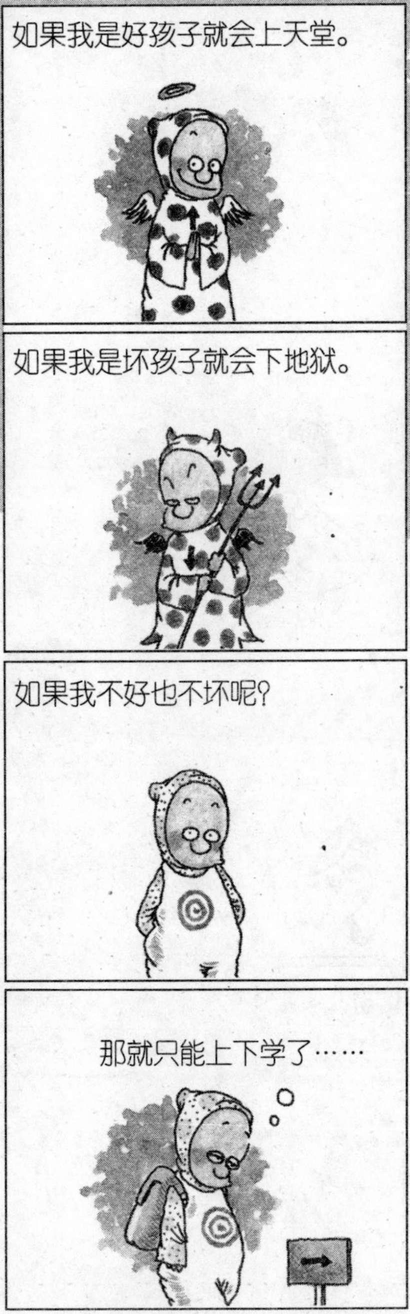
如果我是好孩子就会上天堂。
如果我是坏孩子就会下地狱。
如果我不好也不坏呢？
那就只能上下学了……

手臂抬高！
弯下腰！
身体拉开！
唉，健康操做起来一点也不健康……

向左转！
向右转！
向后转！
小孩被大人搞得团团转，大人再被人生搞得团团转，何苦呢……
世界是平的！世界是尖的！
是平的！是尖的！
平的！
训导处
世界也许是平的，但绝对不是公平的。
不是我扔的！

我不想去学校……
我不想去学校……
我不想去学校……
我不想去学校……
学校已经放学了。
我不想回家……我不想回家……
我不要上学！
上学可以充实知识，培养合群精神，增强团队适应力。
而且还可以吃今天带的叉烧便当。
早说嘛，真是的。

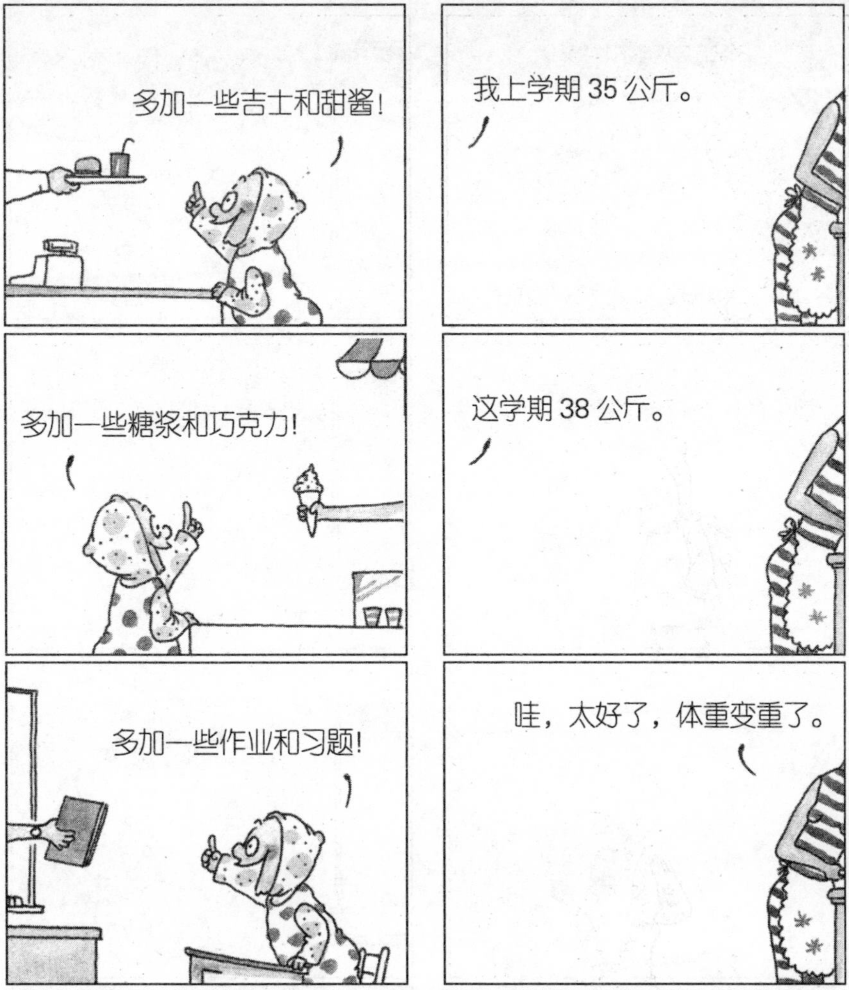
多加一些吉士和甜酱!
我上学期 35 公斤。
多加一些糖浆和巧克力!
这学期 38 公斤。
多加一些作业和习题!
哇，太好了，体重变重了。
唉，贪心贪惯了……
是功课变重了

绝对小孩IQ

● 小孩就像一张白纸，老师却认为他们是一张张考试纸。

● 如果学校是糖果屋，老师是冰淇淋雪人，课本是巧克力慕斯，那就不会有逃课的孩子了。

● 加减乘除是儿童开始学习自私的第一步。

怎么一个字都写不出来?!
你昨晚到底有没有背书!?
有。
它们只是藏在脑袋里某处，我一时还找不到。

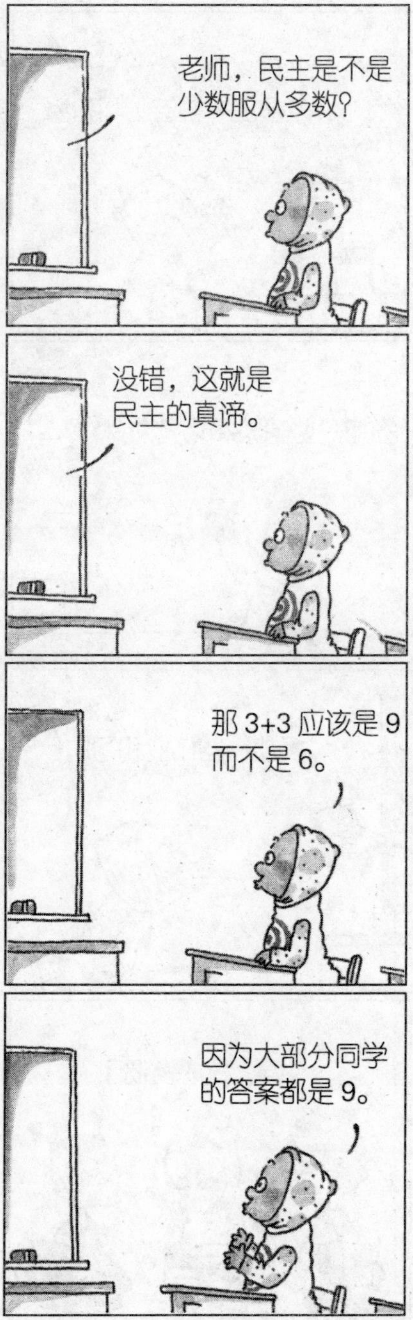
老师，民主是不是少数服从多数?
没错，这就是民主的真谛。
那 3+3 应该是 9 而不是 6。
因为大部分同学的答案都是 9。

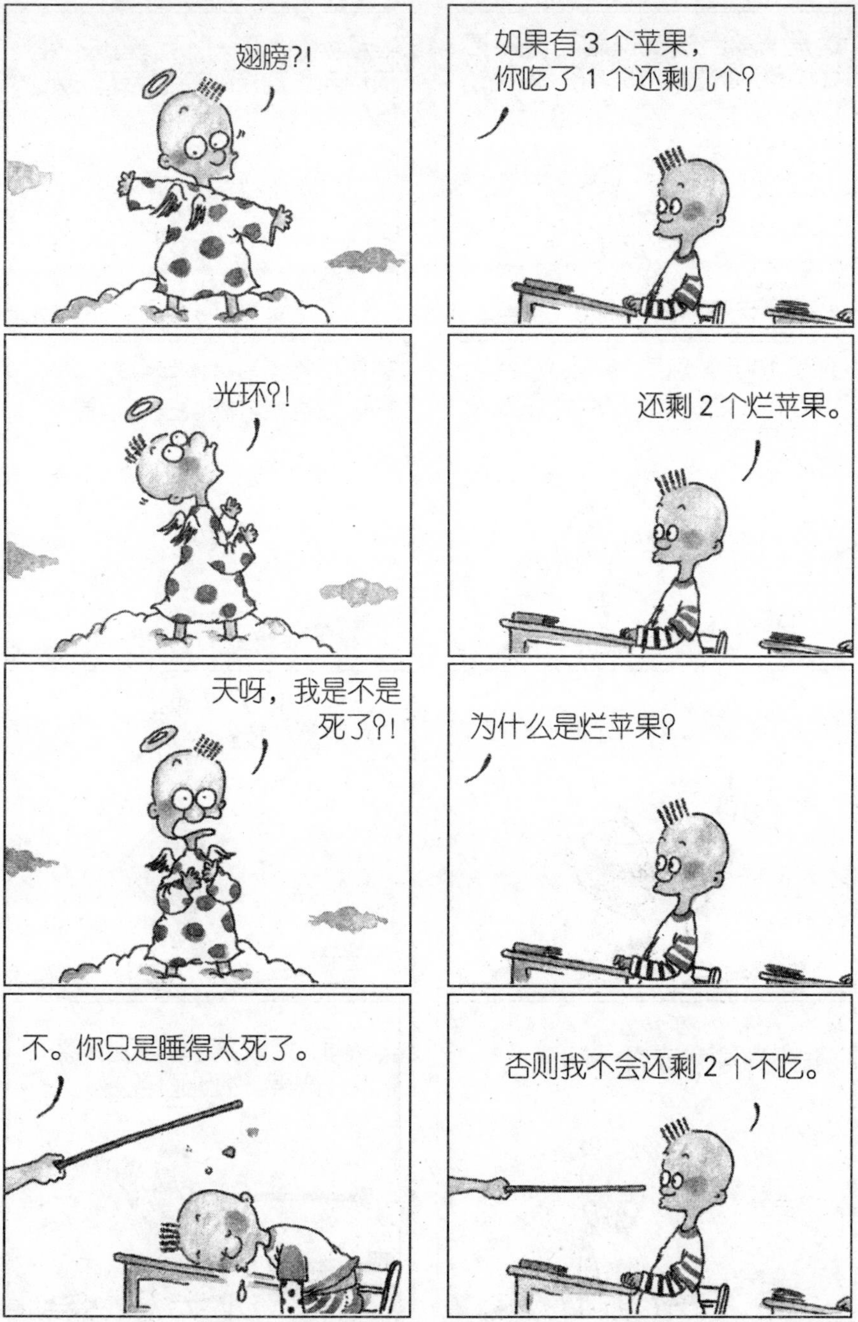
翅膀?!
光环?!
天呀，我是不是死了?!
不。你只是睡得太死了。
如果有 3 个苹果，你吃了 1 个还剩几个?
还剩 2 个烂苹果。
为什么是烂苹果?
否则我不会还剩 2 个不吃。

- 小孩喜欢圣诞节、万圣节、复活节、儿童节，唯一不喜欢的是节省的节。
- 据统计，百分之九十的儿童都相信有圣诞老人，剩下百分之十是因为老爸太忙，无暇打扮成圣诞老人。

绝对小孩IQ

●掌中一只鸟，抵得上林中两只。
——没有小孩听得懂这个道理。

●嘴里一颗糖，抵得上店里两颗。
——所有小孩都懂得这个道理，但还是会盯着店里。

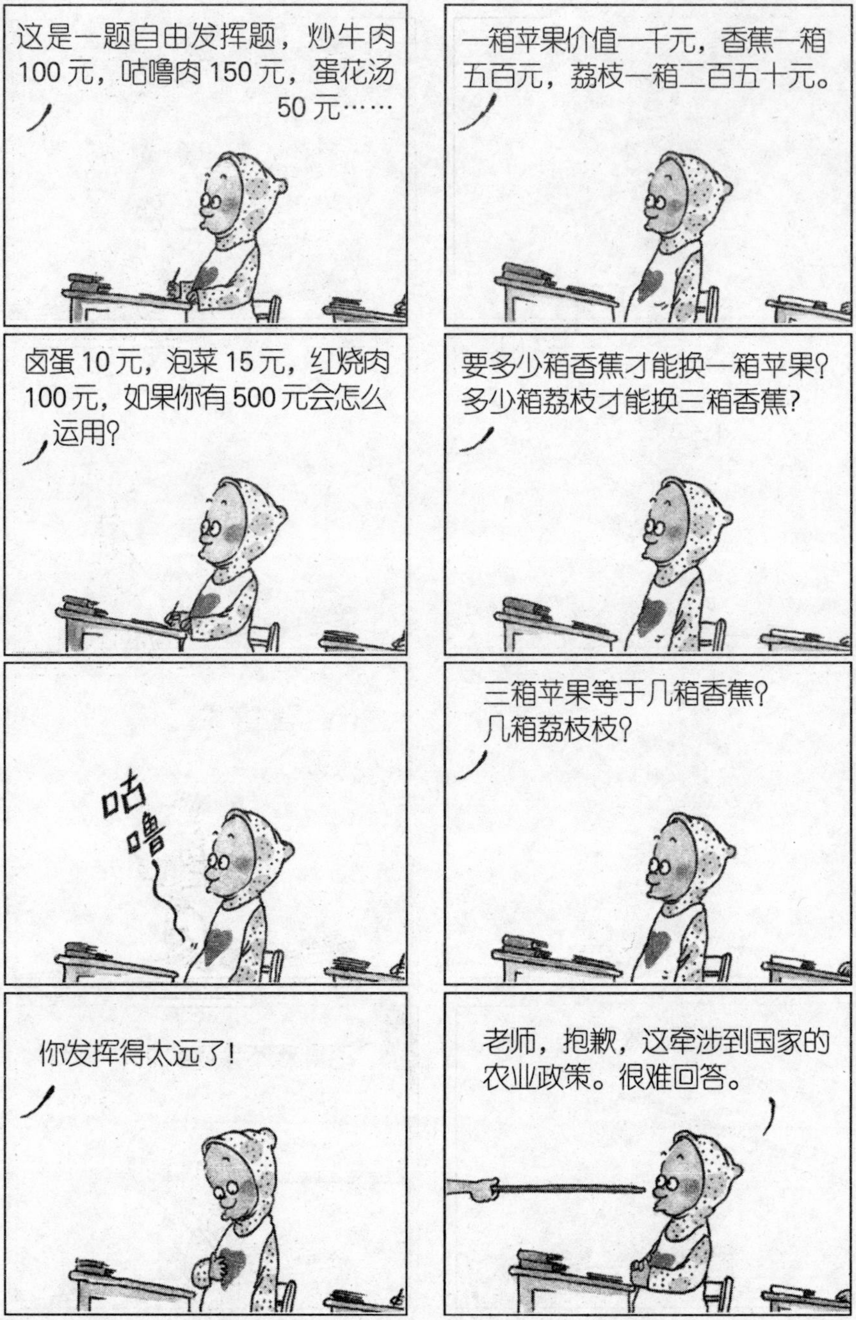
这是一题自由发挥题，炒牛肉100元，咕噜肉150元，蛋花汤50元……
卤蛋10元，泡菜15元，红烧肉100元，如果你有500元会怎么运用？
咕噜
你发挥得太远了！
一箱苹果价值一千元，香蕉一箱五百元，荔枝一箱二百五十元。
要多少箱香蕉才能换一箱苹果？多少箱荔枝才能换三箱香蕉？
三箱苹果等于几箱香蕉？几箱荔枝枝？
老师，抱歉，这牵涉到国家的农业政策。很难回答。

我们只有一个地球。
所以我们要好好爱护它。
地球只有一个我，所以老师要好好爱护我。

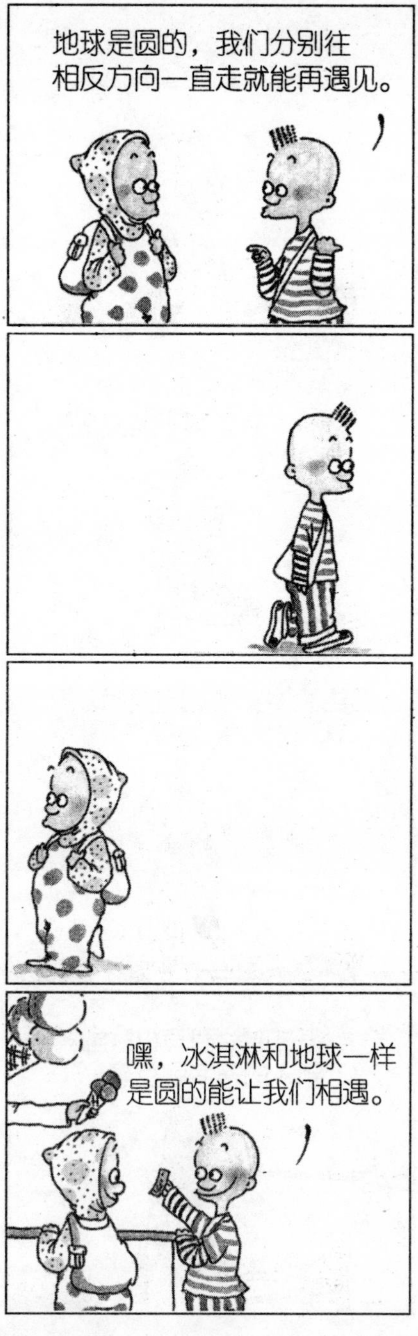
地球是圆的，我们分别往相反方向一直走就能再遇见。
嘿，冰淇淋和地球一样是圆的能让我们相遇。

绝对小孩IQ

● 据瑞典科学家研究，人的记忆会因拔牙而受损，隆不得小孩总是记不住糖果有害牙齿。

● 三斤的甜食等于二斤的肥胖以及一颗蛀牙。

● 没有金钱观念的孩子长大后也会赚钱，有金钱观念的孩子已经长大了。

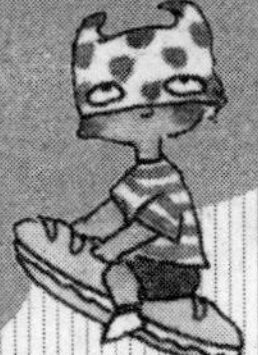

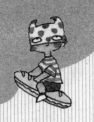

绝对小孩IQ

●●●

对小孩而言，路上捡到一袋糖胜过一袋金。

小孩只有从树上掉下来时才会相信有地心引力。

大人总是告诫我们如果考第一名就会有玩具，问题是：如果要考第一名，哪会有时间玩玩具呢？

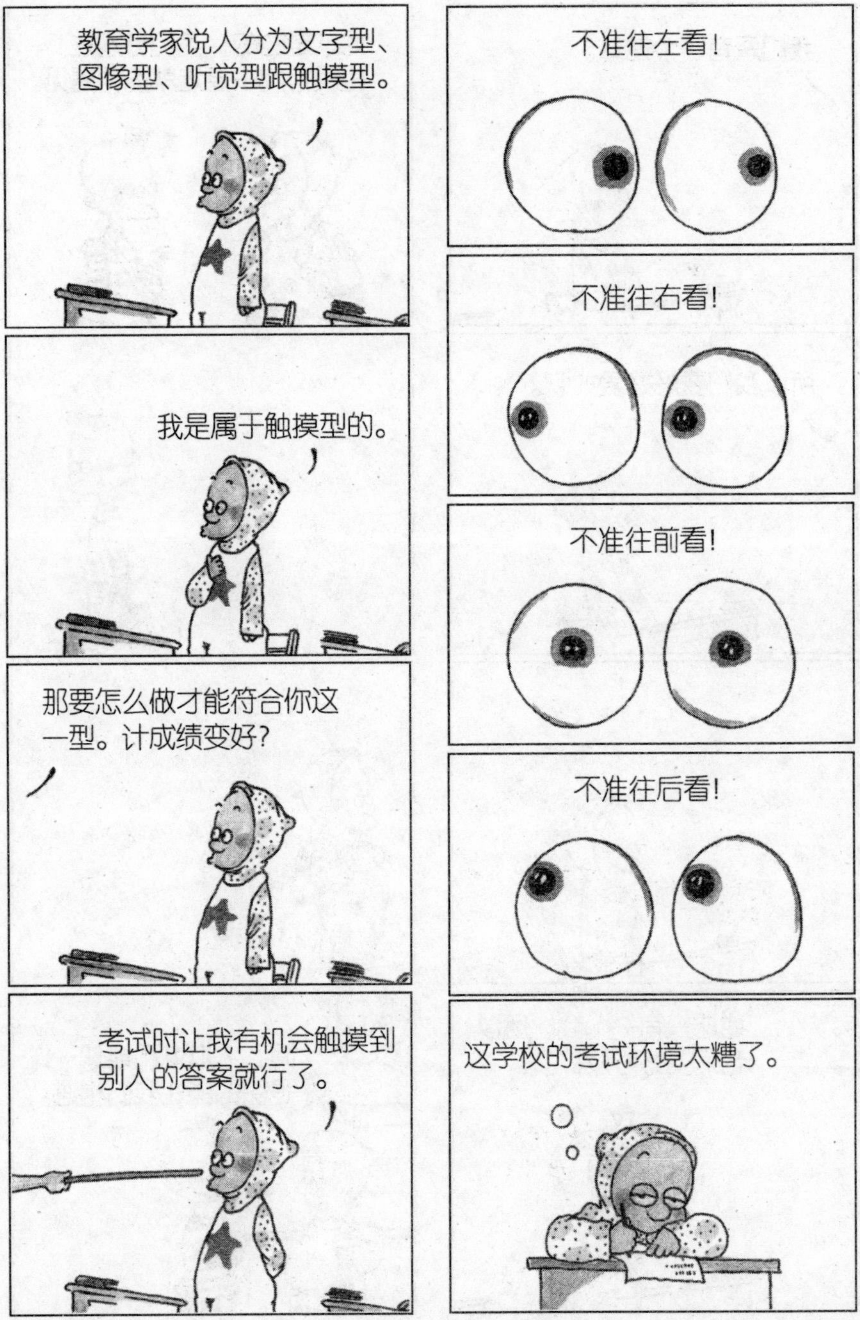
教育学家说人分为文字型、图像型、听觉型跟触摸型。
我是属于触摸型的。
那要怎么做才能符合你这一型。计成绩变好?
考试时让我有机会触摸到别人的答案就行了。
不准往左看!
不准往右看!
不准往前看!
不准往后看!
这学校的考试环境太糟了。

第一题是○。
窗外有一只蝉在叫，
第一题答案应该是○。
第一题是○。
墙角有蜘蛛在结网，
第二题答案应该是×。
第一题是○。
脑袋上有苍蝇在飞，
第三题应该是○。
你们是在传谣言还是在传答案？
到时考不及格，
就把责任推给这些虫子。

绝对小孩IQ

● 对孩子而言，有玩具的地方就是乐园，没有玩具的地方就是墓园。

● 老师：为什么兔子的耳朵是长的？
儿童：这样才能让魔术师把它从帽子里变出来呀。笨蛋！

王大宝，一百分。
张小丽，一百分。
李大伟，一百分。
我的领空权受到非比寻常的威胁……
披头，这次考几分？
10
为什么就不能考一次一百分！
10
妈咪，这样算不算？
10

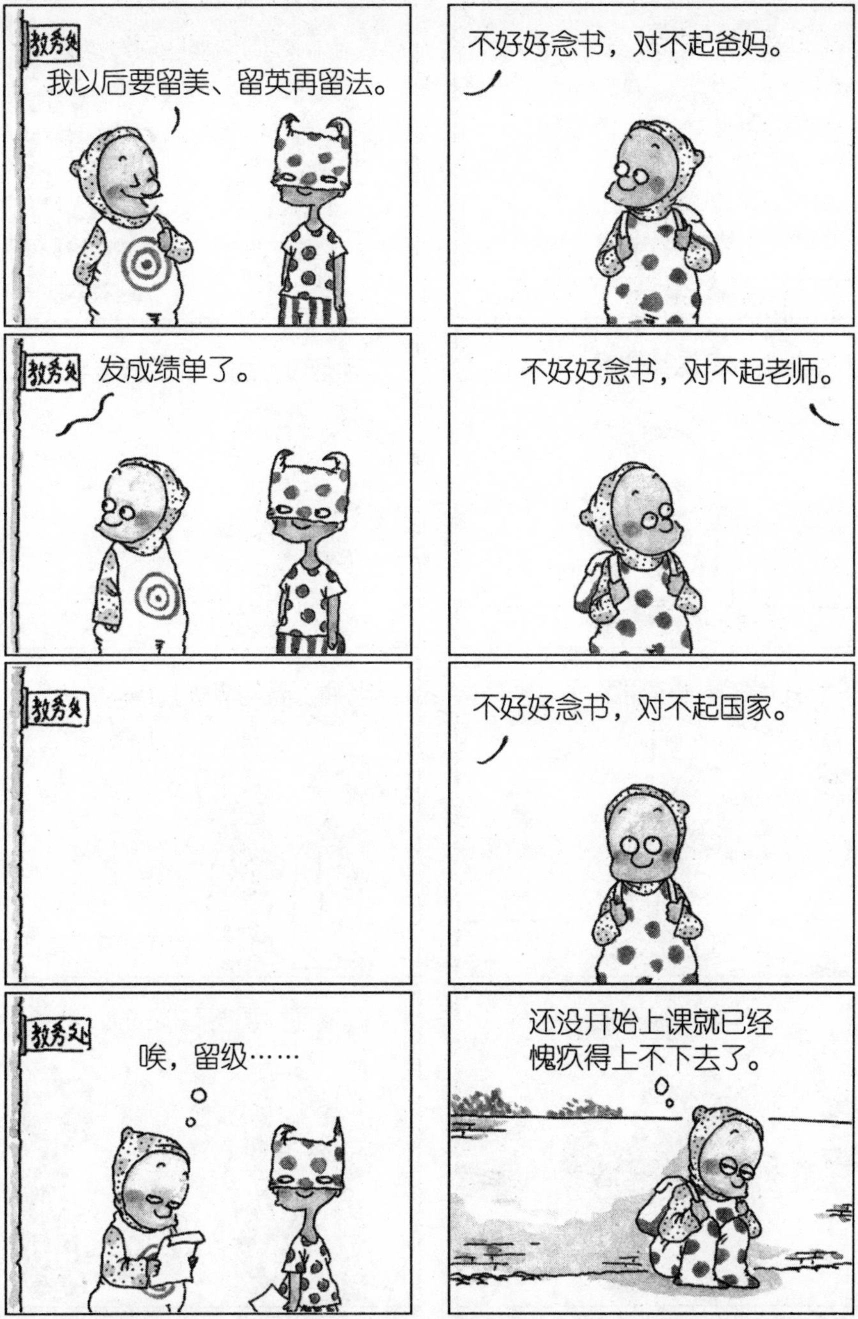
教务处
我以后要留美、留英再留法。
教务处
发成绩单了。
教务处
教务处
唉，留级……
不好好念书，对不起爸妈。
不好好念书，对不起老师。
不好好念书，对不起国家。
还没开始上课就已经
愧疚得上不下去了。

上英文课被罚站……
上语文课被罚蹲……
上数学课被罚跪……
上体育课被发指……
我们要同情那些可怜的人。
别难过，罚站一下就没事了。
老师，五毛骚扰我!
我们要可怜那些同情的人……

欺骗老师，小心
鼻子会变长。
哈，我的鼻子
又没有变长。
老师的鞭子会变长……
1，2
3！
老师，你说只打两下，
怎么打了三下?!
你 5+3 都能变成 12，
我为什么不能 1+1 等于 3!

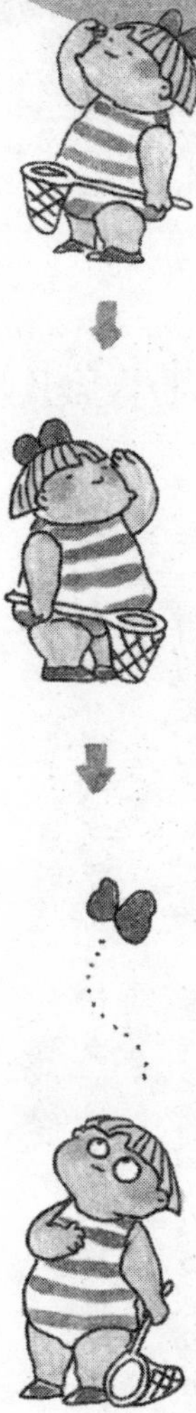

绝对小孩IQ

●小孩的世界没有罪恶，只有饥饿。——一个刚吃完汉堡但还没有吃到热狗的孩子如是汹叽。

●所谓柏拉图式的甜食，就是一个趴在糖果店玻璃窗外的小孩看到的东西。

我是乖小孩。
你是坏小孩!
乖小孩!
坏小孩!
乖小孩!
训导处
坏小孩!
老师，我们已经长大了，你必须要顾到小孩的自尊。
所以希望你以后不要再叫我们罚站罚蹲了。
那罚跪呢?
我想应该没问题，因为我老爸这么大了还是常常被罚跪。

这么简单的问题，去问你妈！
第一题的答案是○。
这么简单的问题，去问你老师！
第二题答案是×。
这么简单的问题，自己去想办法！
这是什么答案？
自己只能想这种办法了……
……老师走过来的答案……

所谓雪上加霜，就是在冰淇淋上再加霜淇淋。

——儿童的定义。

童言童语定律：

(1)总是不该发问时发问。

(2)总是说不该说的话。

绝对小孩IQ

(3) 总是在大人回答后由一个疑问衍生出另十个疑问。

(4) 总是问大人也无法回答的问题。

● 绝对小孩家庭秘密用语：

(1) 你今天屁股温暖过吗？

披头，数学一百分。
天呀，竟然考满分，你一定不敢相信自己的眼睛吧？
恰恰相反，考试时我很相信自己的眼睛。

我学校明天要大扫除。
我的也是。
我们要带抹布、肥皂、刷子、水桶。
我们只要带佣人。
唉，贵族学校……

我爸妈要我去念贵族学校。
什么是贵族学校?
就是孩子成了贵族，
爸妈成了奴隶的学校。

心算比赛第一名。
绘画比赛第一名。
背诵比赛第一名。
你干什么?这是我妈
的骨灰!

绝对小孩IQ

(屁股被打过吗？)

(2)今天上空吗？

(今天上午有空吗？)

(3)关节打通了吗？

(打过电玩了吗。)

绝对小孩IQ

(4) 脑部充血了吗？（读书了吗？）

(5) 有穿耳洞吗？（被人唠叨了吗？）

(6) 你的音响是立体音效吗。

今天作文题目是“如何才能做一个快乐的小孩”。
不用写这篇“如何才能做一个快乐的小孩”就能成为一个快乐的小孩。
这一题……
1+2=
3!
这一题……
5+2=
7!
这一题……
2-1=
1!
这一题……
3+2=
老师，比赛小子说是5。

各位评审，各位老师，大家好。
我今天要演讲的题目是：光阴似箭。
我今天要讲的题目是：光阴似箭，光阴似箭。
就因为光阴似箭，所以还来不及讲，时间就已经过了。
谢谢各位老师，同学。
为什么演讲时的光阴一点也不似箭？

绝对小孩IQ

（你的爸妈同时教训你。）

绝对小孩学校秘密用语：

(1)当泥鳅。（溜课）

(2)扫描。（考试偷看）

(3)×光。（答案全×被甩耳光）

绝对小孩IQ

(4) 轰炸。(一堆作业)
(5) 红色炸弹。(发成绩单)
(6) 练铁砂掌。(被教鞭打手心)
(7) 贝多芬。(装听不到)
(8) 脑力激荡。(集体作弊)

我今天要讲的题目是光阴似锦。
是光阴似箭。
所谓汤姆就是玛丽。
是 Time is money.
所以一定要欢迎光临。
是爱惜光阴。
教务处
他们要我罚站十分钟，但要我的指导老师罚站一小时。
放手!接力赛不停掉棒，为什么这棒子倒抓这么紧!

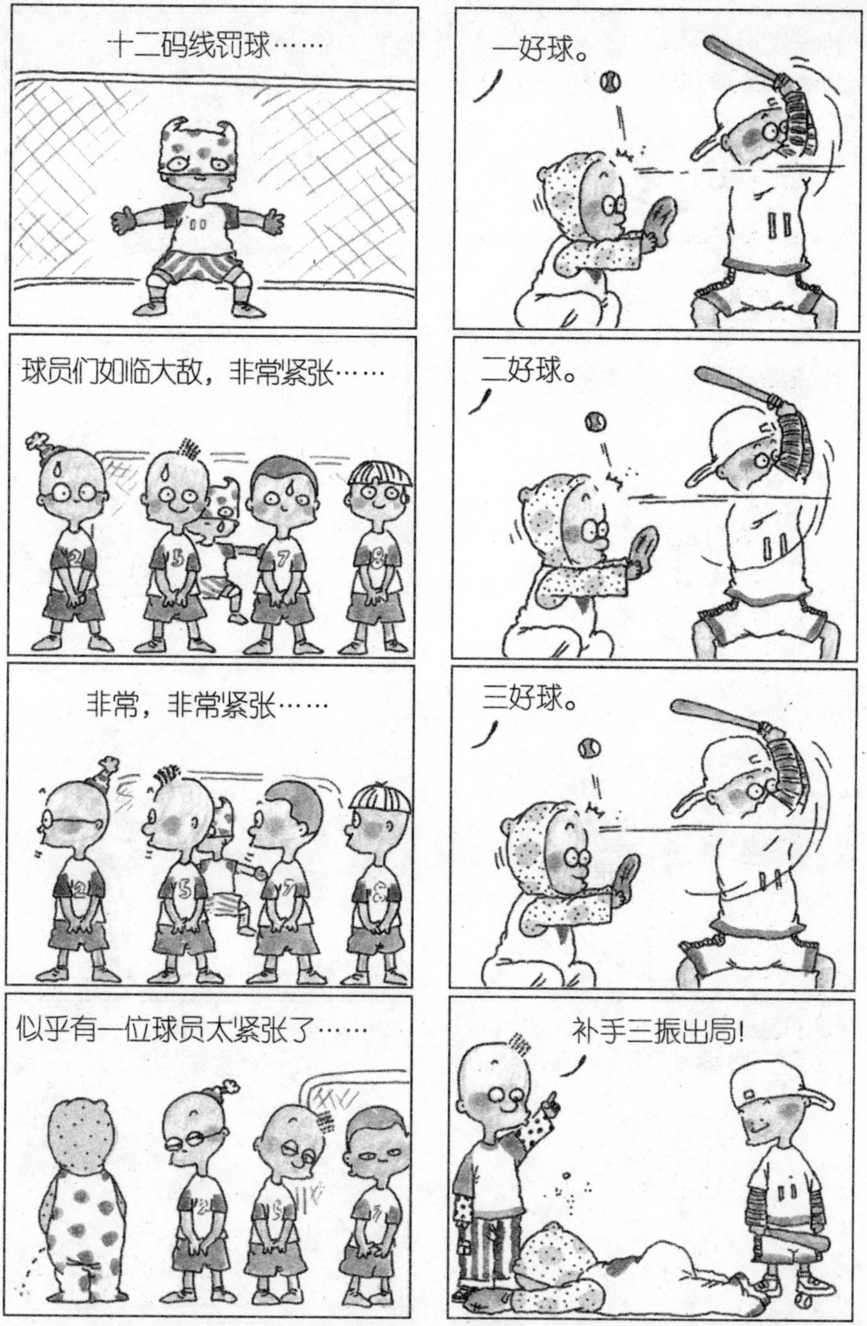
十二码线罚球……
球员们如临大敌，非常紧张……
非常，非常紧张……
似乎有一位球员太紧张了……
一好球。
二好球。
三好球。
补手三振出局!

绝对小孩IQ

- 男生爱女生，女生呸男生。
- 父母都希望孩子效法华盛顿的诚实精神，可惜自己却很难效法华盛顿爸爸的宽恕精神。
- 现代儿童听到华盛顿时，想到的是樱桃好不好吃而不是诚实不诚实。

你一定接得到，
你一定接得到……
想象那颗球是一个大蛋糕……
唉，想象得太逼真了，
忍不住就用嘴巴接了……
我一定接得到，
我一定接得到……
我一定逃得掉，
我一定逃得掉……

锵!
快把裤子脱了!!
不是该叫她赶紧跑吗?
女生脱了裤子会跑得比谁都快。

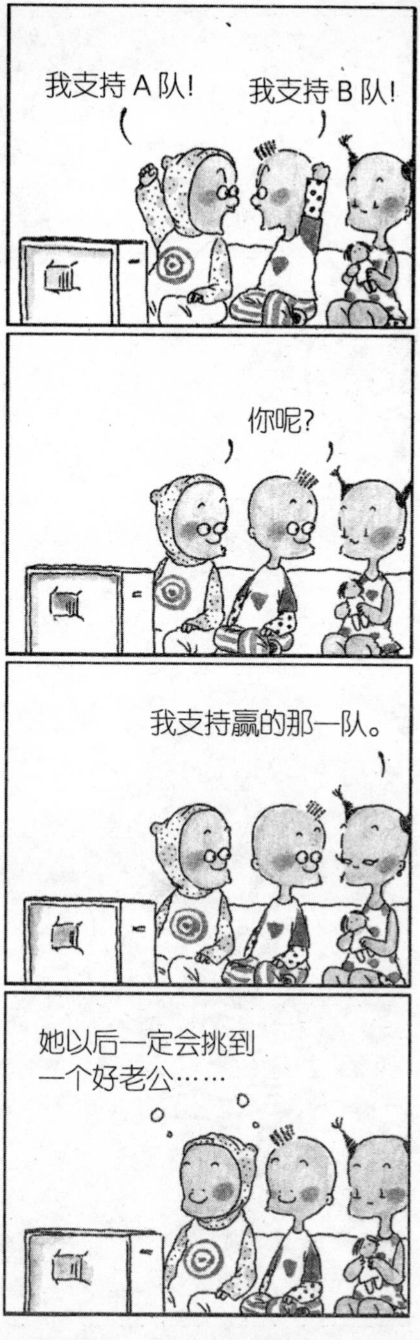
我支持A队!
我支持B队!
你呢?
我支持赢的那一队。
她以后一定会挑到
一个好老公……

PLAY GROUP

5 自己在世界

如果有一天：石头变成棉花糖，雨水变成汽水，杂草变成薯条，炸弹变成炸鸡，父母变不见了。
——这就是小孩的梦想世界。

去上学!
不上学!
不上学，但下床。
装病、装傻、装死，只要不上学。
上学吧。

上学 or 不上学，
That is a question.
上学…不上学…
上学…不上…
上…不…
上!
不!
喂，老师吗?
我是……咳……
他老爸……

全部给我去上学!
唉……

SCHOOL BUS

这是我长大后的模样吗?
还是这模样?
也许这模样?
或者这模样才是?
算了，还是等长大后请整形医生决定吧。
这是我长大后的模样吗?
还是这模样?
也许这模样?
或者这模样才是?
算了，男人以后的模样是由他所娶的女人决定的。

如果当科学家，我的人生就会充满惊叹号。
如果当考古学家，我的人生就会充满着问号。
如果当数学家，我的人生就会充满着开根号。
如果当医生，我的人生就只会充满着病号。
原来这就是长大……

我们是不是一对恋人?不是。
咚
碰
我们是不是一对恋人？是。
别扮鬼脸。
这张鬼脸不是扮的，是真的。

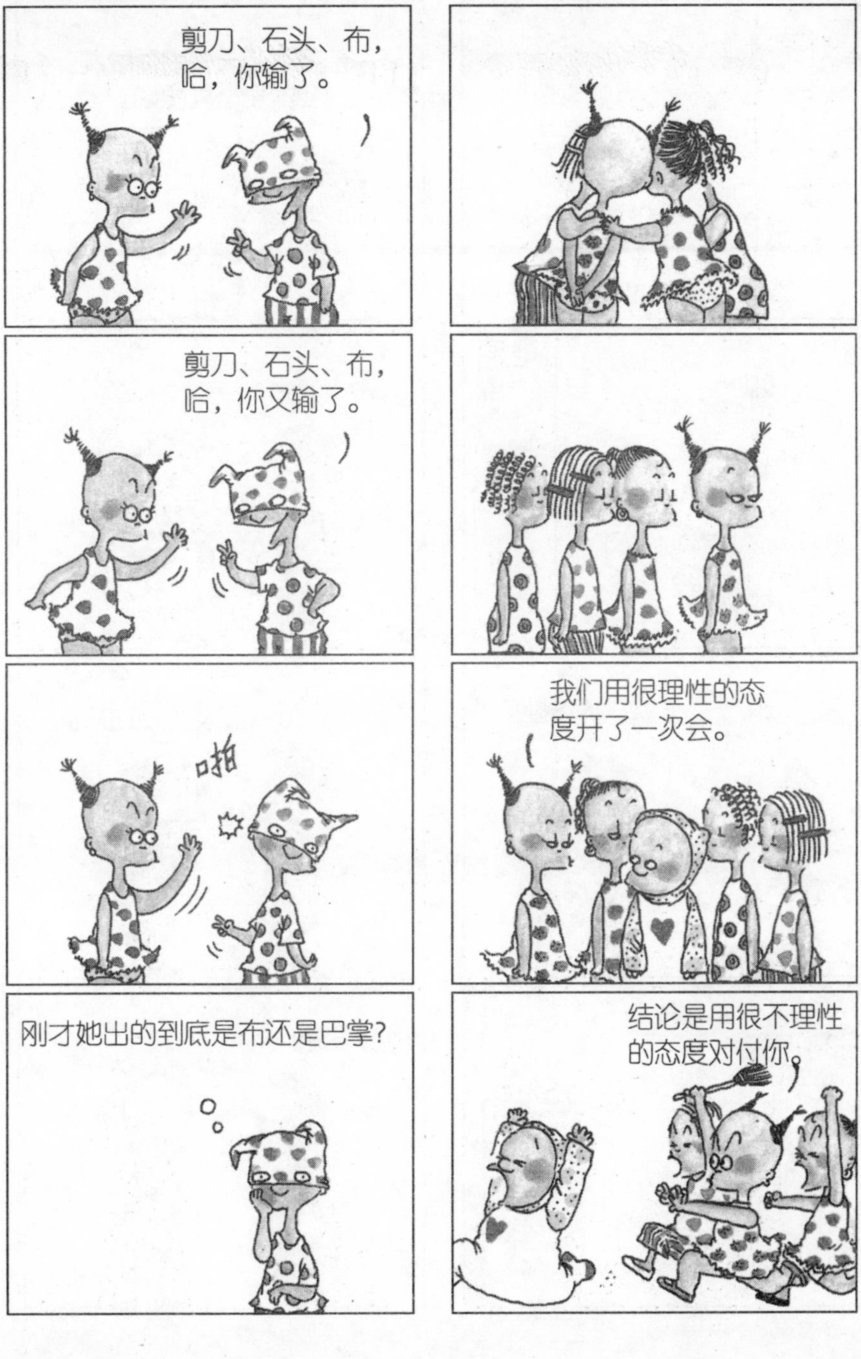
剪刀、石头、布，
哈，你输了。
剪刀、石头、布，
哈，你又输了。
啪
刚才她出的到底是布还是巴掌？
我们用很理性的态
度开了一次会。
结论是用很不理性
的态度对付你。

绝对小孩世界

●小孩如果拥有魔法，就会把自己的世界变得充满想象。大人如果拥有魔法，就会把自己的世界变得充满金钱。

●只有小孩会把钞票变成彩带，把股票变成纸牌，把期货变成跳棋，把房地产变成魔术方块。

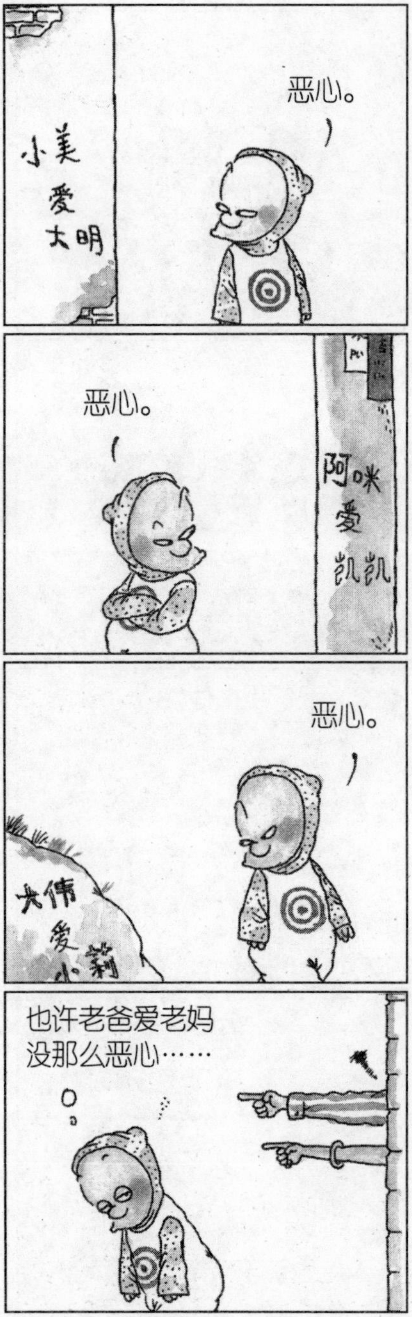
小美爱大明
恶心。
恶心。
阿咪爱凯凯
恶心。
大伟爱小莉
也许老爸爱老妈没那么恶心……

希望有一天一觉睡醒发现我的身材就像她。
你好浪漫。
然后把你所有的男朋友都抢过来。
你好浪荡。

绝对小孩世界

- 小孩的世界是：希望仙女把青蛙变成王子。
- 大人的世界是：希望仙女把青蛙变成金子。
- 在小孩的世界里，大象会跳舞，囱一儿会飞翔，小鸟会说话，大人会幻想。
- 小孩世界只分有玩具阶级和无玩具阶级。

一群小母猪!手打直。
肥油堆!胸挺起，头后仰。
恐龙妹!身体拉直，注意平衡。
唉，身体平衡有什么用，心理一点也不平衡。

励志电影对残障人士有优待。
战争电影对军人有优待。
学生电影对学生有优待。
为什么暴力电影对出身暴力家庭的我没优待?

绝对小孩世界

●●破坏为购买之母——爱买新玩具的小孩如是说。

一小孩世界美丽魔法定律：每个人穿的衣服是星星的光泽，每条街道是彩虹的纹路，每座房屋是白云的样子，每辆汽车是花朵的颜色。

一张优待票。
一张半票。
小朋友，这是限制级的。
告诉过你多少次，这是限制级！
我知道，我年纪虽小，但心智很成熟。
#
※
抱歉，限制级是给年纪够大，但心智却不成熟的人看的。
呼……连卖票员说的话都是限制级……

一张全票。
嘿，成功了。
这部限制级是限制高度的。
买一张票。
小弟弟，你们有三个人应该买三张票。
我知道。
但我们通常看恐怖片最后都会挤在一张座位上。

绝对小孩世界

● 小孩世界和平魔法定律：老师是听学生话的，父母是不打骂小孩的，星期一到星期六每天都是星期天。

● 小孩的世界就像魔术师的高帽子，什么东西都能从里面拿出来。

绝对小孩世界

●小孩圆满童话结局：
王子和公主从此快乐地吃着糖果过一辈子。
●小孩快乐家庭愿望：
爸爸是无敌超人，妈妈是神奇保姆，兄弟是七个小矮人，朋友是小飞侠，宠物是小精灵，家

小朋友，你们为什么一下闭右眼一下闭左眼？
我们不想让同一只眼睛惊吓太久。
小朋友，电影演完了。
哇，真好看。

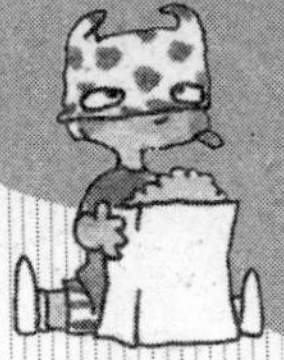

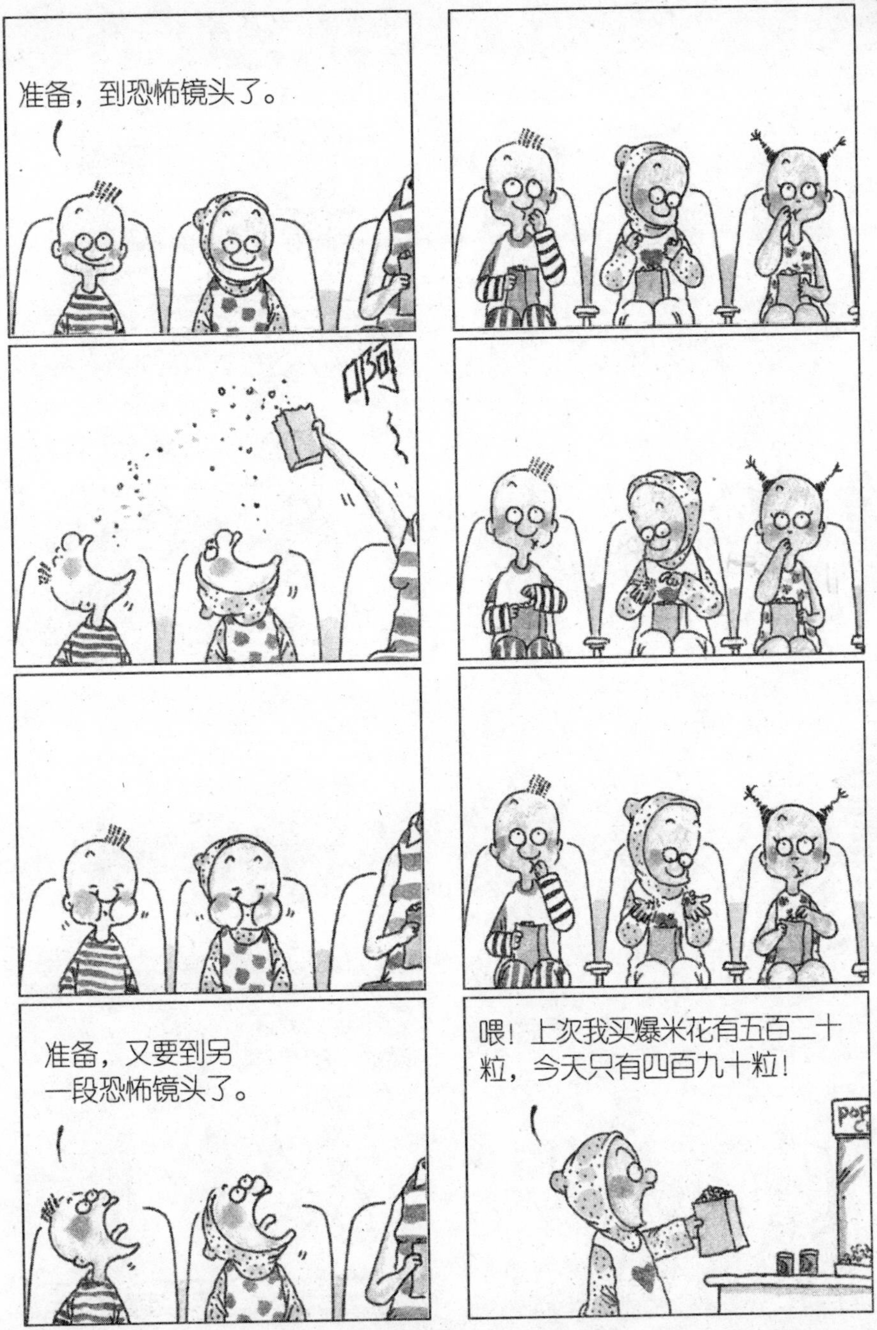
准备，到恐怖镜头了。
啊
准备，又要到另一段恐怖镜头了。
喂！上次我买爆米花有五百二十粒，今天只有四百九十粒！

绝对小孩世界

在动物园中间。

●小孩幸福生活定义：
所有的大人都变成小孩子，和我们一起玩。
所有的玩具都变成活的，和我们一起玩。
所有的食物都变成甜的，我们大家一起吃。

绝对小孩世界

●小孩的世界没有失败者，因为他们根本不在乎成功。

●如果有一天：石头变成棉花糖，雨水变成汽水，杂草变成薯条，炸弹变成炸鸡，父母变不见了。

——这就是小孩的梦想世界。

喂，换你了！
真不公平，为什么最后的恐怖结局轮到我看……

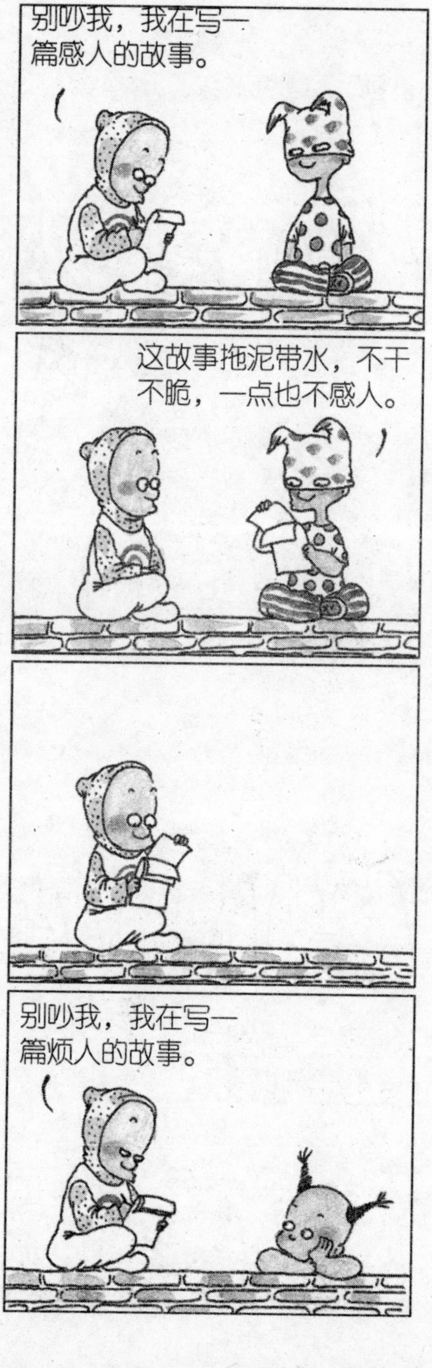
别吵我，我在写一篇感人的故事。
这故事拖泥带水，不干不脆，一点也不感人。
别吵我，我在写一篇烦人的故事。

我写了一篇很悲哀的小说。
这小说笑死人了，
一点也不悲哀。
我是一个很悲哀的小说家。

一部悲哀的小说必须
具备三个条件。
第一是悲哀的剧情，
第二是悲哀的人物。
第三呢?
悲哀的读者。

● 每周花三十个小时看电视，你就是电视儿童。
每周花三十个小时读书，你就是书呆子。
每周花三十个小时吃喝，你就是肥胖小子。
每周花三十个小时胡思乱想，你就是正常小孩。
● 童心永远不会消失，只是被贪心取代。

我要成为大文豪。
你写的东西，文句不通，用词不当，前言不接后语，根本就看不懂。
大文豪成了大问号了……
我以后要以创作为生。
我以后要以乞讨为生。
同行相嫉。

我在写一篇伟大的爱情故事。
搞什么鬼!男主角一出场就死了，女主角到结尾都没出来!
所以才伟大呀。

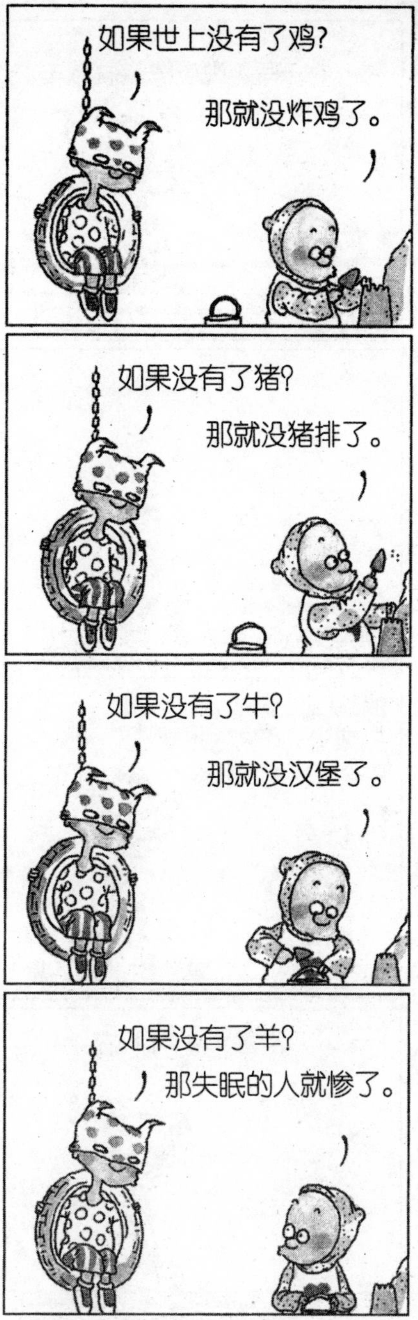
如果世上没有了鸡?
那就没炸鸡了。
如果没有了猪?
那就没猪排了。
如果没有了牛?
那就没汉堡了。
如果没有了羊?
那失眠的人就惨了。

有人说想睡觉就数羊。
如果想清醒呢?
那就倒过来数，羊只愈数愈少，你就会惶恐担心得愈来愈清醒。
资本主义的小孩……

你这是做什么?
我尿急。
尿急跟蒙住眼睛有什么关系?
我怕看到电线杆。

我是一个很公平的人。
你干嘛在地上爬来爬去?
我在感觉做狗的感觉。
哇，你既有求知欲又有实验精神,日后必有非凡成就……
我在感觉做走狗的感觉。

绝对小孩世界

●●小孩对金钱没概念是他们保卫自己的一种方法。

●●小孩绝对爱哭世界：磨破皮哭一分钟，摔掉牙哭五分钟，跌断手哭十分钟，弄坏玩具哭半天，搞清楚为什么哭哭一天。

我的智商250，你们呢？
我的150。
我130。
我137。
哼，我的智商说出来会把人吓死。
是把天才吓死还是把白痴吓死？
我可能是天才也可能是笨蛋。
不晓得，天才分很多种，有数学天才、物理天才、化学天才……
……音乐天才、绘画天才、语言天才……
算了，还是做笨蛋吧，至少笨蛋只有一种。

我到底是天才还是笨蛋？
据专家研究，天才和笨蛋有时仅仅一线之隔。
但那一线到底是毛线还是尼龙线？
笨蛋。

天才的特征是什么？
就是天才的部分像天才，其余的部分像笨蛋。
笨蛋呢？
就是笨蛋的部分像笨蛋，其余的部分像你。

儿童生日宴会定律：

(1)别请好朋友参加，你们最后会因为分蛋糕不均而打成一团。

(2)别请坏朋友参加，你们最后更会打成一团。

(3)男女生数目别差太多，否则还是会打成一团。

绝对小孩世界

(4)无论你如何精心策划，所有小孩都会在蛋糕吃完后打成一团。

(5)宴会上打碎物品的数目和尖叫哭闹的程度与小孩人数成正比。

(6)如果全程都无小孩哭闹打架，最后所有父母会

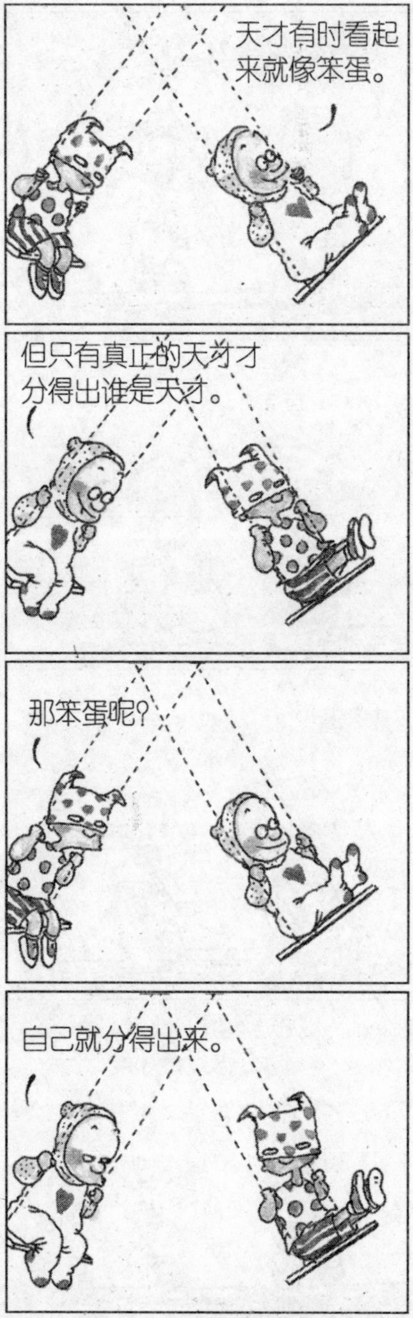
天才有时看起来就像笨蛋。
但只有真正的天才才分得出谁是天才。
那笨蛋呢？
自己就分得出来。

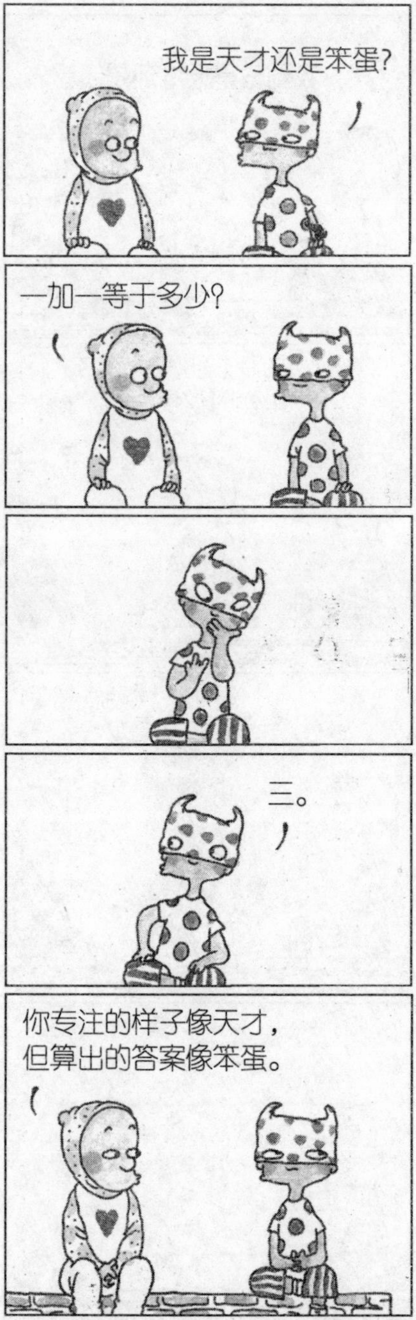
我是天才还是笨蛋?
一加一等于多少?
三。
你专注的样子像天才，但算出的答案像笨蛋。

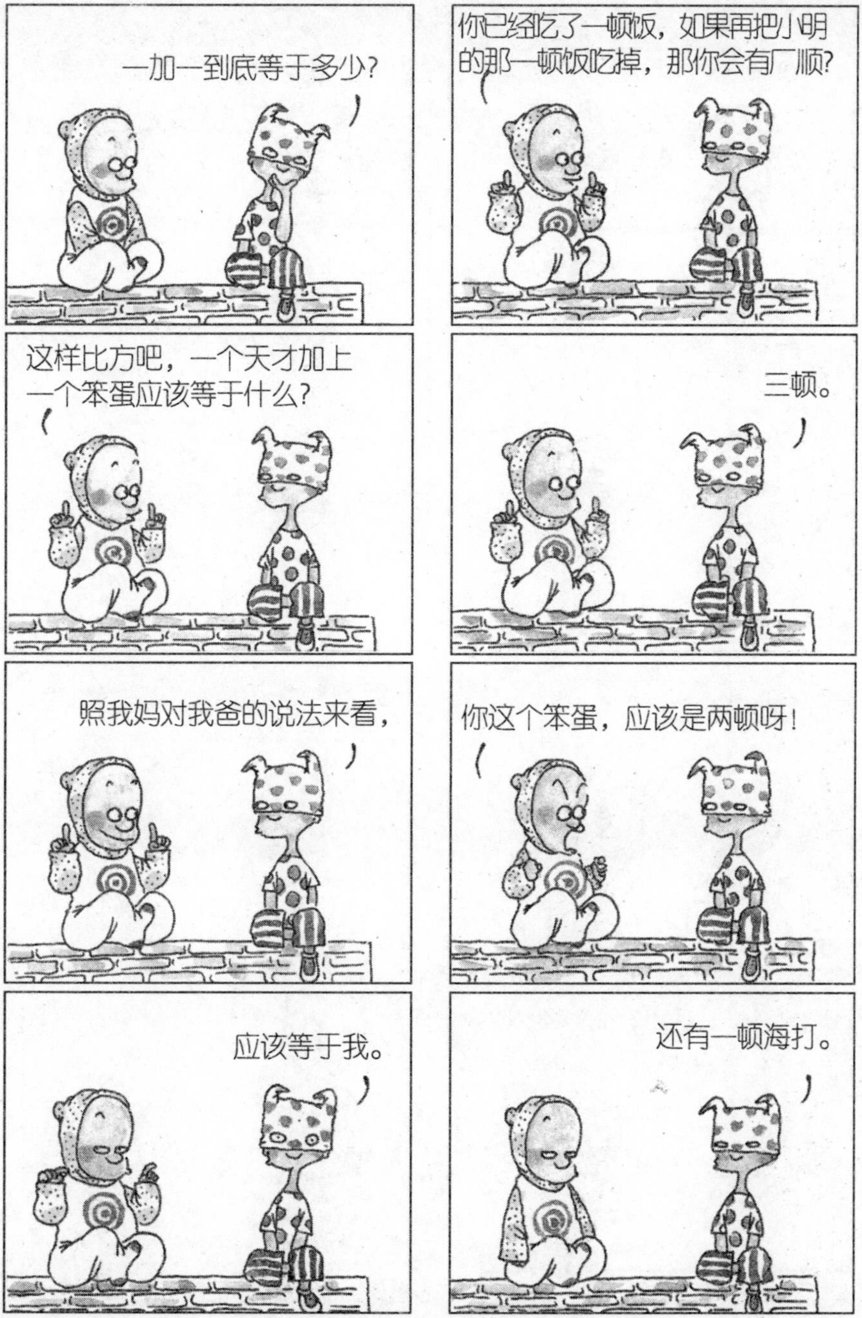

你已经吃了一顿饭，如果再把小明的那一顿饭吃掉，那你会有几顿?
三顿。
你这个笨蛋，应该是两顿呀！
还有一顿海打。
一加一到底等于多少?
这样比方吧，一个天才加上一个笨蛋应该等于什么?
照我妈对我爸的说法来看，
应该等于我。

绝对小孩世界

因较劲而打成一团。

● 小孩和老人的差别是：前者常忘记拉上拉链，后者常忘记拉下来。

● 小孩的世界不需要清静，只需要清凉。所以，多买些一冰淇淋给我们吧。

绝对小孩世界

●世上最有价值的油画，就是刚吃完炸鸡的那张油脸——一个小孩这么认为。

●对小小孩而言：所有的东西都是食物。

对大小孩而言：吃得到的东西才是食物。

认为他是天才的请举手。
恭喜你是天才。
举手的这些家伙是
天才还是笨蛋?
哇
笨蛋才只会哭!
笑的样子比哭的样子更像笨蛋。
哇

我是天才！
我是天才！
我是天才！
我才是天才！
我才是真正的天才！
我才是天才！
你们三个真天才！！
哇，神奇的豌豆，快爬，说不定也能找到会下金蛋的鸡。
谢谢光临
爬一次5元

绝对小孩世界

如果能对神灯许愿——
肥胖小孩说：给我糖果。
爱玩小孩说：给我玩具。
读书小孩说：给我第一名。
绝对小孩说：再给我十盏神灯。

白马王子终于来了。
我就要嫁给我初吻的人了。
啧
快醒!快点醒!
主人，请问您有什么吩咐?
我希望妈妈还有老师永远都别在我面前出现。
OK，愿望达成。
唉，忘了说也别在背后出现……

我好惨呀，你为了吃，害我没命。
我好惨呀，你为了吃，害我没命。
妈呀，好可怕，我还是吃糖就好。
牙科
我好惨呀，你为了吃，害我没命。
1……
2……
3！拔出来
呜……我以为童话世界只专属于小孩……

如果全世界的小精灵都变成我的朋友，那该多好玩！

等一等，
你自己心里不是还
住着一个小孩？

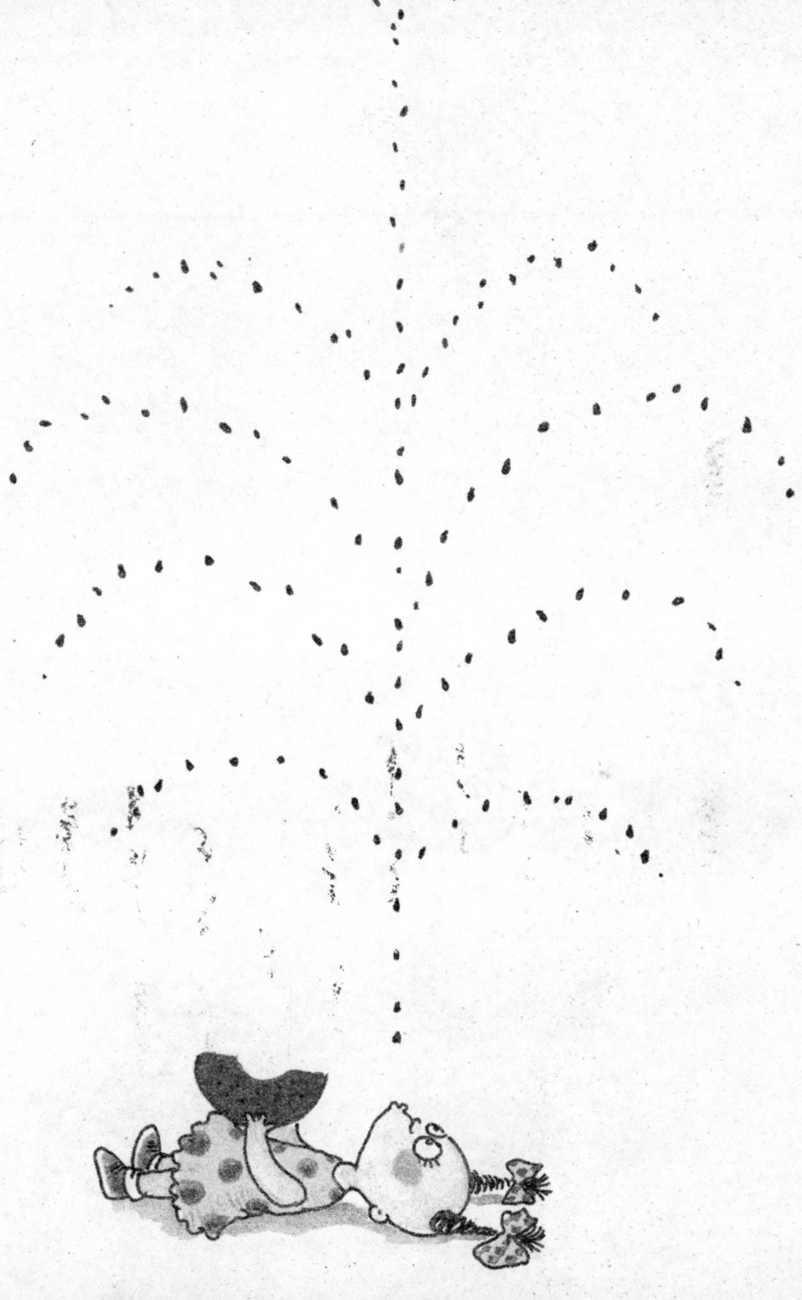

被我们大人一点点遗忘掉的那个小孩的世界，
等小孩们长大后也就一天天遗忘掉的那种感觉，
其实都藏在真实世界的某些角落里，
它会永远等着你来找它。

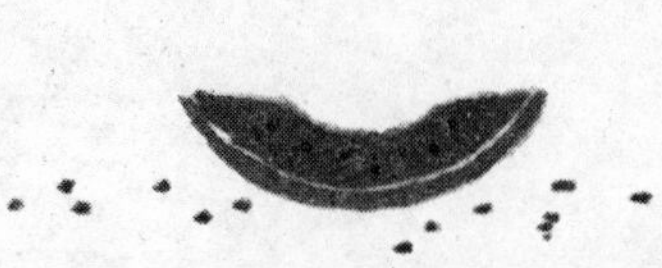

『绝对小孩』要升二年级啰，
他们会碰上多少新的『绝对麻烦』呢？

唉，糟了，一年级的功课都还没写完……
哈，又有新同学可以整了。
呜，为什么还有二年级？我以为小学读一年就毕业了。
开学，别开溜！

小孩和大人之间，是一场战争。
小孩和小孩之间，是一种游戏。
小孩和麻烦之间，是一段童年。

你想每天再做一次小孩吗？

请期待『绝对小孩』第二集

浙江卫视和朱德庸之间是一个奇迹
“绝对小孩”
绝对品牌
大型电视活动
电视栏目
音乐舞台剧
电视情景剧
舞台偶剧
动画片
动回片
衍生周边产品
更多无限可能……
浙江卫视
ZHEJIANG SATELLITE TV
jdxh@vip.sina.com

★“甜心涩女郎”全棉莱卡T恤衫
★“甜心涩女郎”马克杯
漫画大师携手传媒巨头
打造朱德庸顽皮乐园
★“绝对小孩”心意卡
★上班族滴答手册
★朱德庸爱心书友卡
贝塔斯曼亚洲出版公司
http://www.bertelsmann.com.cn
贝塔斯曼书友会
http://www.bol.com.cn
上海鹏腾文化传播有限公司
http://blog.sina.com.cn/shbtsm
★“绝对小孩”迷你记事贴

图书在版编目(CIP)数据
绝对小孩／朱德庸著 .— 上海：上海锦绣文章出版社，2009.2 重版
ISBN 978-7-80685-749-6
Ⅰ. 绝… Ⅱ. 朱… Ⅲ. 漫画-作品集-中国-现代 Ⅳ. J228.2
中国版本图书馆 CIP 数据核字（2007）第 064187 号

朱德庸漫画品牌中国大陆地区总代理：北京点形文化传播公司 dianxing58@vip.sina.com

书　名：绝对小孩

出 品 人：何承伟
作　　者：朱德庸
编辑顾问：冯曼伦
美术创意：陈泰裕
责任编辑：汪冬梅

出　　版：上海锦绣文章出版社 · 上海故事会文化传媒有限公司
发　　行：上海故事会文化传媒有限公司
　　　　地　　址：上海绍兴路 74 号
印　　制：上海中华商务联合印刷有限公司
规　　格：880mm×1230mm　1/24　印张 8.25
版　　次：2007年5月第1版　2009年2月第8次印刷
书　　号：ISBN 978-7-80685-749-6／G·020
定　　价：28.00 元
告读者　如发现本书有质量问题，请与印刷厂质量科联系　T：021-62402474

STORIES
上海故事会文化传媒有限公司　出品（00070）　www.storychina.cn

上海故事会文化传媒有限公司所有图书可办理邮购，并免收邮资。
汇款地址：上海市南绍兴路 74 号（200020）；　收款人：上海故事会文化传媒有限公司
联系电话：021-54667910。

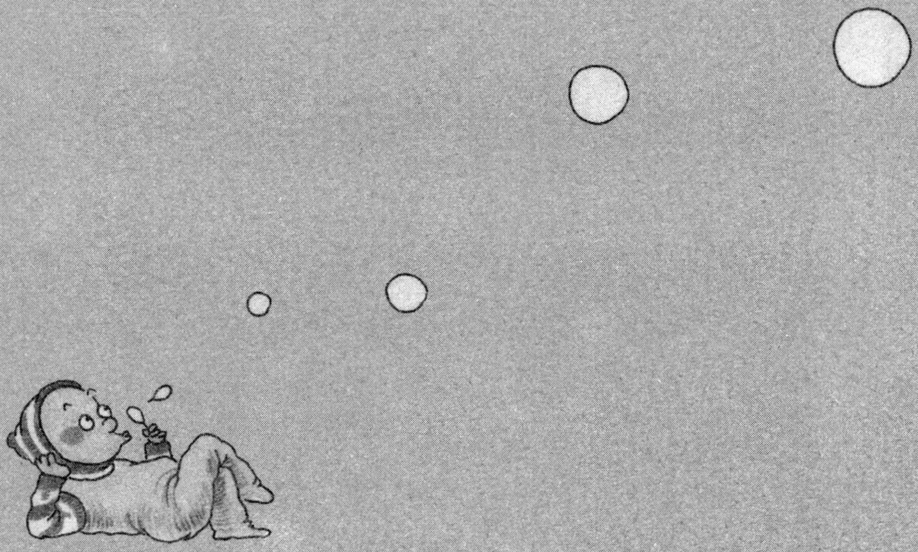

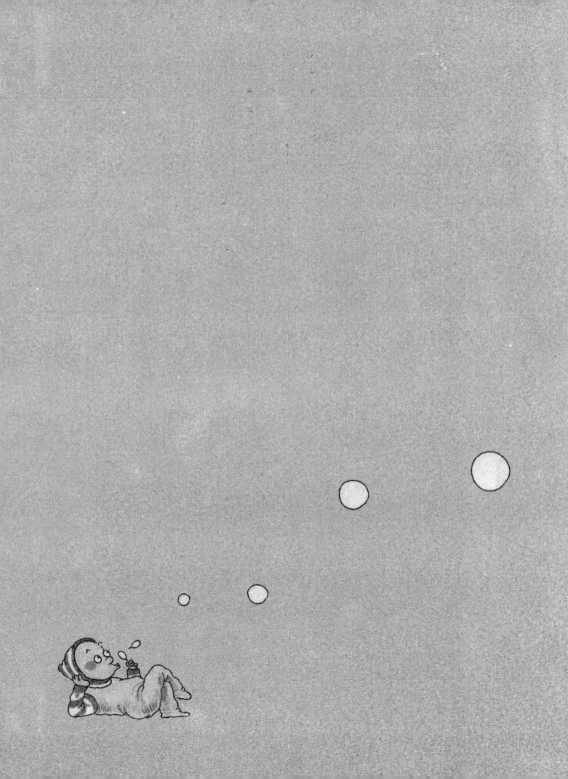

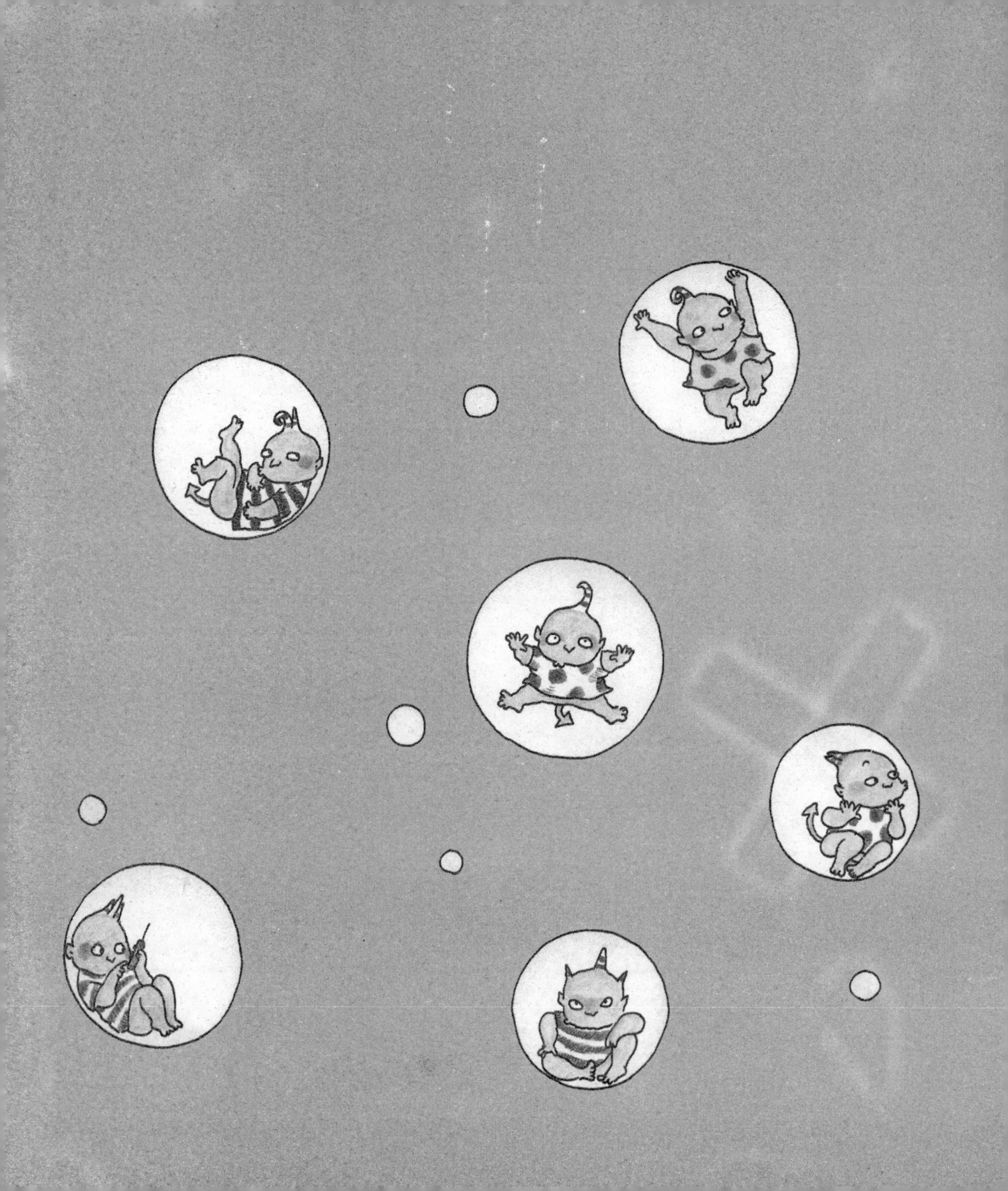

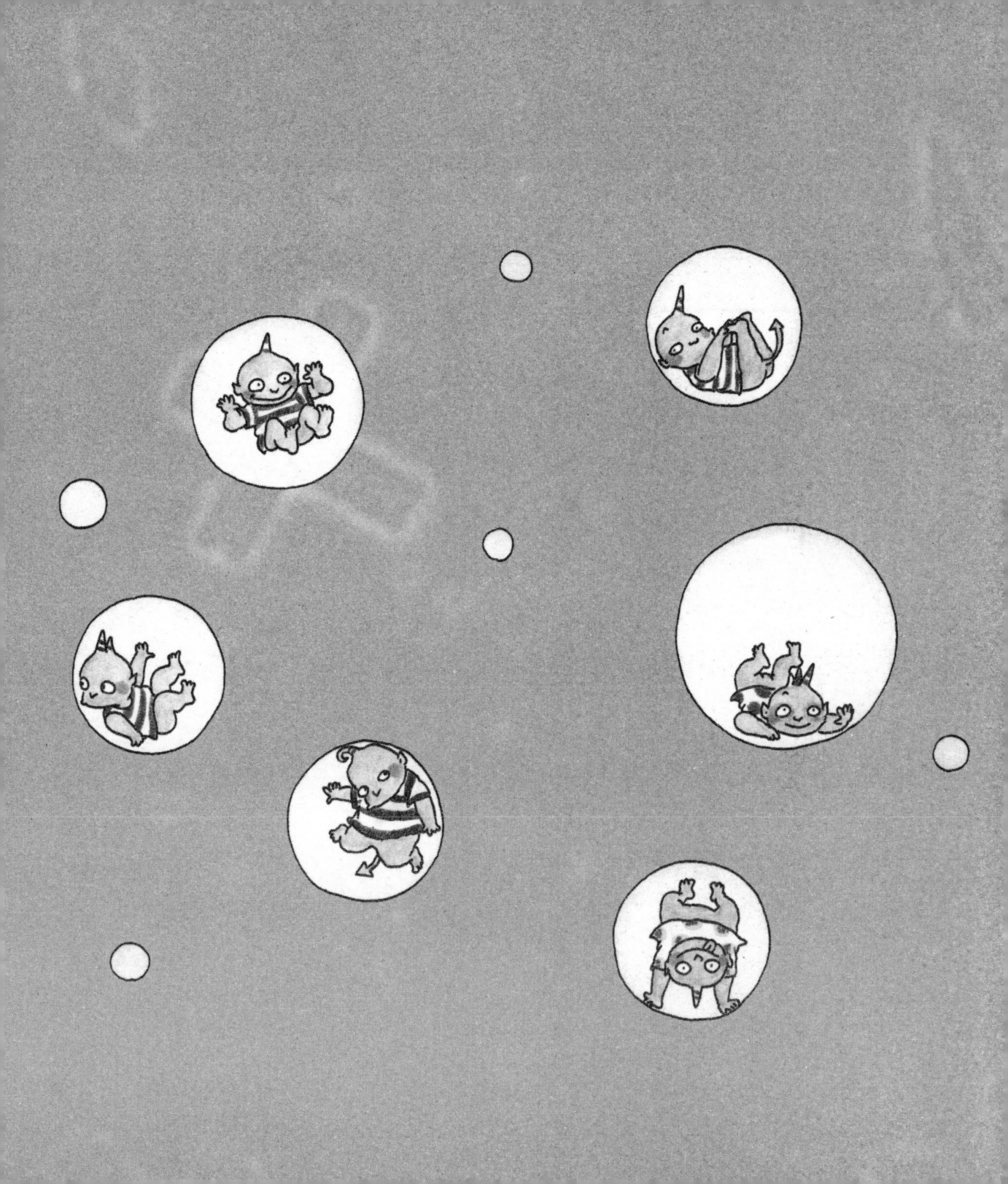